北京汉阅传播
Beijing Han-read Culture

IKENAMI SHOTARO

池波正太郎

七曜文库

吉林出版集团有限责任公司

真田太平记 九

二条城

王宁 译

第一章　厨师养顺

第壹话

（大御所上洛之日，不远矣……）

主计头加藤清正走海路抵达大坂的港口之后，便由二十余名骑兵陪同，先行去了伏见的府邸。家臣们随后跟上。

当天傍晚，他就到了伏见府邸。不久，老臣饭田觉兵卫从府邸里面走出，去了浅野幸长府上。

幸长和觉兵卫谈得倒不太久。觉兵卫回到加藤府邸，立刻去了主公清正的房间，两人边喝酒边密谈。

这次密谈就相当久了。觉兵卫离开清正的房间时，都几乎是半夜了。觉兵卫出去后，清正吩咐他最喜欢的厨师梅春再弄些酒肴，似乎打算独自喝到天亮。

第三天的清晨，浅野幸长离开了伏见，而且只带着十五名骑兵。

当然，这算不上稀罕事儿。无论哪里的大名，都可以这样骑马远行。此时的各位大名尚未受到日后的种种约束。福岛正则等人若听说亲友抱恙，甚至会单枪匹马从伏见去大坂探望。

因之，不会有人奇怪浅野幸长带着几个随从离开伏见。

幸长一行去往大坂。从伏见到大坂，行程大概有九里地。幸长出了伏见，就放缓了速度，打算日落时再进大坂。

自桥本踏进河内地区，行经枚方、守口两地之际，幸长体会到了丝丝春意。

原野、树木、田地，到处都弥漫着浓浓的泥土芬芳。置身和煦的阳光之下，马背上的幸长注视着眼前一切。

（大御所上洛之日，不远矣……）

幸长只想着这件事。春天的到来，似乎完全没让他觉得欣喜。

刚想着九度山的安房守真田昌幸病情见好，哪知他又突然跌倒院中，鼻腔流血不止。有人甚至称他病入膏肓。不久，和歌山城内的幸长之父长政亦告卧病。

幸长忍不住开始思索岁月的流逝和人类的死亡。

他担心若提前通知反而会见不到片桐且元，故而装成远行时顺路前来，突然现身大坂城内。他很想见见久违的片桐且元，便自称是途经此地，顺路拜访。

片桐且元就住在大坂城内。得知幸长黄昏时抵达，且元自不便将他拒之门外。

自关原之战以后，大坂城下的浅野府邸便一直空着。虽然附近另有个不大的别馆，里面却没几个家臣，肯定来不及准备幸长的住宿。且元知晓这一点。

大坂城的正门在外护城河西侧的追手口，幸长却从玉造方向进城，足以说明这只是私下拜访。

幸长一洗来到大坂前的沉痛表情，笑吟吟看着出来迎接的每一个人，缓缓走向城内的二丸地区。

二丸是个规模宏大的环形城郭，从东西南北四个方向环绕住隔着内护城河的本丸。其西侧便是"西之丸"，有丰臣秀赖之家臣大野治长的府邸。片桐且元住在二丸东侧靠北一带。丰臣家重臣们的府邸，都井然有序地排列在二丸。

幸长刚踏进片桐府邸，且元就迎了出来，说道："欢迎，欢迎！"

一见之下，骑马奔行九里而来的幸长，不像是有何棘手之事，只客套道："明知不合礼数，但毕竟久未谋面，真是太想您了……"说着便随且元来到里面的一间屋子坐下。

且元跟他把酒对饮，他却只是说些"天气总算暖和啦"、"和歌山的父亲大人总说想跟东市正①大人喝一杯呢"这类无关紧要的话，只字不提希望丰臣秀赖上洛之事。

见状，且元心头的一块大石头总算是落了地。

片桐且元曾是丰臣秀吉的近臣，跟幸长之父长政有同僚之谊，幸长一向对他态度恭敬，所以这时真不是临时向他示好。

且元对幸长亦是素有好感。

"弹正大人病情如何？"

"不太好呀。"

"不太好？这……"

且元嘟囔着，眉头一皱。

浅野长政、加藤清正、福岛正则，这都是且元自幼年时便携手共事的人。他们都取得了且元从未料到的丰功伟绩，而且都去了很远的地方。

---

① 监控京都商业的机关，负责取缔非法经营，有东、西两个正职。官阶和正六位上相当。

且元倒不是羡慕他们，只是觉得寂寥。

这一年，片桐且元五十六岁，却仿佛年逾花甲。他真的是苍老到了这般模样。

太阁秀吉去世前，曾叮嘱且元辅佐秀赖，结果现下竟然事事皆不如意。淀殿君临大坂，完全无视且元等人，而秀赖则对这位生母言听计从。何况，大野治长之流的少壮派家臣万事独揽，深得秀赖和淀殿信赖，搞得且元的作用越来越小。

譬如，清正、幸长、正则等人要晋见秀赖时，本该经由辅佐秀赖的且元向秀赖申请，且元却无法将这些事直接禀报给秀赖。秀赖身边全是跟淀殿和大野治长息息相通的家臣、侍女。如此一来，且元禀报的事项自然悉数被淀殿得知。

清正、幸长，甚至高台院（丰臣秀吉正室）——就算他们想要晋见秀赖，只要淀殿说不行，便是不行。所以，且元面对高台院、清正和幸长之时，总是倍感羞愧。福岛正则等人都觉得指望不上且元，所以最近就不太来大坂了。

"左京太夫大人身体日益健康，真是幸事！"

且元手持酒杯，将目光投向幸长。

幼名"长丸"的幸长总是病恹恹的，其父长政甚至曾抱怨这小子指望不了，恐怕都活不到二十岁。结果，现年三十有六的幸长却是一个拥有三十七万四千石封地的堂堂藩主。

片桐且元甚是感慨。不知为何，他最近特别多愁善感，和幸长谈话间时不时便冒出些牢骚，譬如"以前战事不断但烦心事少"、"当今这世道不再是武士出人头地的年景儿喽"……

幸长虽然脸上、态度上都没表现，其实亦是暗暗叹息不止。

这不是新近出现的状况了。眼下，片桐且元无法再在关东和大坂之间游刃有余。他被两方夹着，而且秀赖和淀殿都不理解加藤清正、浅野幸长祈盼丰臣氏长盛不衰的夙愿。这固然不是且元的优柔寡断所致，但他难辞其咎。

且元难道不希望丰臣家千秋万代？不可能不希望。如若希望的话，这位辅佐丰臣秀赖之人难道不该果敢一些？只是一味屈从淀殿的淫威，当真可悲可叹。

"东市正大人从年轻时就纵横战阵，难道他那时就不曾抱有死志？"幸长忍不住暗暗寻思，"倘若抱着死志辅佐秀赖公的话，一定会有活路吧！"

然而，幸长这一晚只是简单问了句："右府大人一向可好？"

片桐且元的回答含含糊糊。若答称秀赖一切都好，恐怕幸长便会让他帮忙传达晋见之意……

且元似乎很怕此事。

第贰话

是夜，幸长下榻片桐府邸，陪幸长前来的家臣们则留宿客房。

次日清晨，浅野幸长说道："方便的话，我想见见永井百助。"

永井百助，号"养顺"，目前负责大坂城内淀殿、秀赖等人的膳食，昔日曾受雇于幸长之父——浅野长政。再早以前，年轻时的永井百助是武田信玄的厨师。

武田家灭亡十一年后，浅野长政受封甲州的府中城，封地二十二万五千石。当时，长政得到丰臣秀吉的批准，雇佣了曾效命武田家的几个流浪武士。

其中就有永井百助。

庆长元年春天，秀吉突然向长政提出想要浅野家的厨师——口碑极好的永井百助。长政只好将百助送到了伏见城。秀吉十分喜爱百助做的菜，片刻不离。秀吉死后，永井百助迁至大坂城服侍秀赖，自是情理之中。

片桐且元当然清楚事情的来龙去脉。

"你能将百助喊到这里来吧？"

"这倒是不难。"

"我想将百助的情况告知和歌山的父亲。"

"弹正大人对这位厨师太中意了。"

"是呀。年轻时，总会喊百助说要吃这吃那。而且他近来总会想起百助，特别怀念……"

"那是自然。"

片桐且元立刻着手安排。不久，"养顺"永井百助果然来到了片桐府邸。

在一间可以看到片桐府邸狭小里院的客房中，幸长见到了永井百助。

面对里院的走廊上，幸长的家臣中谷平右卫门恭敬站着，背对这边。而且，外间坐着在百助之后进来的家臣内田弥八郎。

隔离外间的隔扇和面朝里院的拉门都是大开着的。

带百助前来的片桐家的侍者离开后，就剩下了这四个人。

"久疏问候。"百助说完，立刻跪地叩首。

幸长说道："好久不见了，养顺。"

"是呀，听说弹正大人近来卧病，我真是挂念。此事当真？"

百助的脸上流露出难以掩饰的痛惜之色。他瘦小的身躯像年轻人一样挺拔，不看脸的话，无论如何都看不出是一位年逾七十的老人。他的头上光秃秃的，脸和手却犹如被打磨过一样整洁灵秀，不愧是四海皆知的名厨。

其手指之漂亮，正如浅野长政所言："每每看到永井养顺的手指，都会有一种想要吮一吮的冲动呢。"

"父亲毕竟上了年纪喽。"

"那，果真是……"

"确实卧床了，但现下无大碍了。"

"唉……"百助一叹，依旧愁眉不展。

"养顺。"

"嗯？"

"你过来……"

"是。"百助稍稍向前凑了凑。

幸长又道："再靠近些……"

"啊？"

此时，百助似乎明白了留宿片桐府邸的幸长突然唤他前来的缘故，赶紧走到幸长跟前。

这两人简直就是一副促膝谈心的样子。

幸长凝目望着百助。

里院的白梅盛开，候鸟成群结队飞向北方。这一天非常暖和。

"这是父亲大人给你的信，你这就看看吧。"

幸长说完，递给百助一封信函。

百助恭敬接下，打开后立刻读完。读罢，他看了看幸长。

幸长点点头。

百助跟着颔首，又将长政的信仔仔细细看了两三遍，读完重新折好，恭敬递给幸长。

"你明白了？"幸长轻轻问道。

"是！"

百助回答之际，柔和的目光中似乎有锋芒一闪，但是转瞬即逝。

幸长将父亲的信放进怀中，又掏出另一封信。

这封信的折叠方式很特别，不是通常用的那种写毛笔信的卷纸，而是在两张更厚些的纸上密密麻麻写满纤细小字，再折了三折用厚纸包好，严严实实封住。

"给你。"幸长把这封信递给百助。

百助接过，不假思索塞进怀中，立刻从幸长面前退开一段距离。

"百助……"

"是。"

"绝不允许失败。"

"遵命。"百助平静的语气中分明透出一份自信。

幸长向百助轻轻低下了头："拜托你了。"

第叁话

厨师养顺（永井百助）从片桐且元府邸回到本丸内的住处不久，浅野幸长一行便回了伏见。

（如此便好……）

见幸长没出难题，片桐且元顿感放松。但那只是一瞬间事，他很快就又抑郁了。近来，且元全无食欲，整日无精打采，就连家臣们都很担忧他是否病了。昨晚跟幸长畅谈一番，把酒痛饮，又谈了些往昔之事，且元脸上浮现出久违的笑容。那副笑容现下又消失了。

德川家康将再次邀秀赖上洛会面的通告早就送到了大坂城。高台院更特意来访。

家康要出席三月下旬的天皇交替大典，片桐且元希望秀赖前去问候，以表达对德川家的臣服态度。他当然顾虑淀殿的宠臣大野治长，却坦言道："臣以为进京较好。"但是，他根本不知晓淀殿和秀赖是否听到了他的想法。

且元明明是辅佐秀赖之人，难道就不该让他亲口告诉秀赖？

可惜，确实是做不到啊。辅臣只是个虚名，现下的且元甚至都没有跟秀赖独处的机会。这倒不是秀赖讨厌且元，但秀赖确实有意将他疏远。秀赖一度流露出指望不上片桐且元的想法，只因且元日益老迈，又总是疑神疑鬼，而且优柔寡断。秀赖的这一想法引起轩然大波，连且元本人都知道了。如此一来，且元更胆怯了。

（一定要早点给关东一个答复才行。）

且元越是这么想，就越不知如何是好。从淀殿、秀赖那里，完全看不到要答复德川家康的迹象。

"麻烦呀，麻烦……"且元非常担忧，却又忍不住暗自嘀咕，"这次大概又会像以前一样平安度过吧。右府大人就算不上洛，关东也不见得会对我们下手，毕竟没有动兵的理由。"

十几年前的关原之战前后，德川家康的谋略足以让天下叹服。这些，且元不会不知道吧？难道……全都忘了？莫非且元是个好了伤疤忘了疼的人？别说且元，自淀殿以降，丰臣家所有人都盼着这次又平安逃出一劫，却全没想过要如何平安逃出此劫。

这正是只贪图一时繁荣的团体和组织之软肋。本能上固然知道自身的软肋在哪儿，但就是无动于衷。想要采取点儿行动，却总是焦虑不堪。每个人都想逃避责任，只期盼眼下这一天平安无事。

言归正传。是日天尚未黑，浅野幸长就回到了伏见的府邸。

半个时辰后，幸长的家臣内田弥八郎去了加藤清正那里。当夜，老臣饭田觉兵卫又从加藤府邸去了浅野府邸，不久便告辞而归，来到主计头清正的房间。

"来呀。"

加藤清正将觉兵卫喊到身边，劝其喝酒。

清正的厨师梅春经由侍臣之口，询问是否有新的指示。清正都吃完晚饭了，所以他只是询问跟觉兵卫喝酒时是否需要下酒菜。

清正说道："只要烤豆酱就行了。"

著名厨师梅春做的这道下酒菜，可不是普通的烤豆酱，是把近来被厨师们广泛使用的料酒熬入豆酱而成。所谓"料酒"是一种液体调味料，是将曲种和蒸熟的糯米掺入来自中国的烧酒，使其发生糖化作用，历经两三月过滤而成。将这种熬制的大酱放在杉木板上，用火烘烤，最后加入葱花，便是梅春烹制的烤豆酱了。这是加藤清正近来最喜欢的食物。

清正往嘴里送着烤豆酱，问道："觉兵卫，是今晚吗？"

"今晚或明晚。"

"让弹正大人费心了，挺过意不去呢。"

"我真没想到弹正大人会如此劳神。"

"是呀。"

"那个厨师永井百助，以前好像是武田家的忍者。"

"那真是太好了。"清正和觉兵卫不但是主仆，更是从小玩到大的好友，两人私下里都不会拘礼，"事情能顺利吗？"

"应该没问题吧。"

"以后的事情，我很担心啊。"

"右府大人一定会很吃惊吧。"

"嗯……"

加藤清正忧心忡忡盯着墙壁，沉默不语。烛台上有一根大大的蜡烛，烛光扑朔迷离。

觉兵卫喝干杯中酒，喃喃道："如果那样，就只好听天由命了。"

第肆话

　　夜里十一点前后，大坂城本丸御殿的料理间中，永井百助出现了。

　　不愧是丰臣秀赖和淀殿居住的御殿之中的料理间，竟有二十坪大，而且不包括附属的泥地房间。

　　此时的料理间内，除了百助，再无他人。

　　井井有条的料理间内有些橱柜，他是从橱柜间的小门进来的。

　　百助负责秀赖和淀殿的膳食，住在料理间近旁的两间屋内，手下有十五名厨师。他们若看到此际站在这里的百助，肯定认不出来。

　　料理间中高挂的烛台发出微弱光亮，伫立着的百助身着灰色细筒裤、布袜、短袖长衣，用同色的布料蒙住面庞。这显然是一身忍者装扮。

　　本丸御殿的后方耸立着著名的五层天守阁。故太阁秀吉将其建成时，世人无不叹服其雄伟壮观。昔日织田信长的安土城天守阁就让世人大大惊叹了，但这个天守阁的规模有若一城，宏大规模的壮观更足以和城郭相比，当真可说是举世无双的杰作。

本丸御殿同样尽善尽美。淀殿将御殿北面定为居住区，秀赖生活的"主殿"位于西侧深处，隔着里院跟"千席间"大殿相望。

太阁秀吉出兵朝鲜时，一度觉得很快便将迎来大明和朝鲜的使者，故而利用庆长元年建了这座大殿，哪知不久竟碰上席卷京、坂两地的大地震，惨遭破坏。

现在的"千席间"大殿是四年后重建的。该大殿之大厅足以铺下一千张榻榻米，故而得名"千席间"、"千席御殿"。

好了，我们将目光重新挪回永井百助那里。

料理间的一个角落里，百助蹲了相当长的一段时间，方始站起身来，麻利地打开左侧大橱柜的门扇。打开后，似乎又仔细听了一番动静。跟着，只一瞬眼，他的身形便悄然消失在了大橱柜之中。

橱门从里侧被锁上了。

永井百助从橱柜中上了料理间的天花板，消失了。

他非常熟悉宏大的本丸御殿内的房间布局和警戒状况。虽没想到会像今晚这样再执行忍者任务，但当他离开浅野长政去往丰臣家当厨师时，长政曾这样对他说道："真不知天下以后会变成什么格局。"

浅野长政当时就看出了太阁秀吉身心俱疲的状态非同小可。

从那时直至今日，长政、幸长父子一直都是经由永井百助的情报来知悉大坂城内情况，无一疏漏。然后，幸长会再将几乎全部消息告知加藤清正。

当然，清正不知道永井百助之事。

百助和浅野家的联络，靠的是大坂城下的浅野家小府邸内的三名家臣。

对百助来说，去浅野家的这个小府邸真是易如反掌。

百助踏着本丸御殿的天花板走了很久，总算来到丰臣秀赖卧房的上方。十榻榻米大小的卧室包括两间备用的房间，其中一间睡有两名侍臣。百助跳进了没有人的另一间。

早春的夜晚，微微有些暖意。丰臣秀赖睡的是从中国舶来的黑檀木床榻。他跟亡父秀吉晚年时一样，喜欢睡来自异国的床榻。

秀赖现下是个十九岁的年轻君主。其夫人是德川家康的孙女千姬，现年十五，另有卧室。

秀赖呼吸均匀。他的脸庞上完全没有亡父秀吉的影子。那微黑的肤色倒是跟秀吉挺像，但他圆润清秀的脸庞上充满威势，身高更是超出六尺，确实是高大威猛。

近年来，生母淀殿总说去城外骑马太过危险，所以秀赖就不再去了。这种运动不足，导致这位年仅十九岁的秀赖甚至有些发福。

纵然如此，秀赖的堂堂仪表仍堪称世间罕有。

三宝院的义演大僧正，是京都醍醐寺的座主。这位曾受太阁秀吉厚待的僧人谒见秀赖时，曾称赞道："待到成人，一定聪慧超卓。善加珍重，定是国之大幸。"

丰臣秀赖突然惊醒。他睁开眼睛，嘴却被不知是谁的手严严实实捂上。

谁？——他很想大声斥责，却发不出半点声音。

不过，秀赖的脸上看不出些许惊慌。

只是意外，却不见惊慌失措。

他听到捂着他嘴的男人的耳语："真是非常抱歉。"

此人正是永井百助。秀赖知道百助的长相，也知道他的声音。但是，百助今夜的声音完全不同以往，是非常高超的"假声"。

"请您暂时别出声，先听我把话说完。"百助的耳语似乎让秀赖放下心来，"可以吗？请您先别出声。"

见秀赖点了点头，百助便放开了手。秀赖转头看着百助。只见百助的脸上蒙着灰布，只露出眼睛，再加上背对床边的烛台，根本看不清楚。

百助躲到环绕床头的金银屏风后，说道："小人乃是浅野左京太夫大人、加藤主计头大人的手下。"

"什么？"秀赖一时有些茫然，"你是主计头和左京太夫的什么？"

"使者。"

"你？"

"是的。"

"为何他们不直接来见我？"

"就算请示了，也见不到您，所以才派我来。"

"哦……"

"请您过目。"

百助递上一封信函。这正是浅野幸长偷偷递给百助的那封信，折了三折的信函，厚实的两张纸上写满细小的字。百助递给秀赖一把小刀，将烛台向床榻边靠了靠。丰臣秀赖横卧床上，用小刀打开信函，读了起来，一边读一边点头。

这封信是加藤清正给秀赖的，秀赖不会认错清正的字迹。正因认出是加藤清正的字迹，所以才不住点头。

秀赖喜好书法，而且造诣颇深。传说后阳成天皇很赞赏秀赖十岁时写的"春阳"二字，特意将之收藏，而且私下叹道："这书法确有一国之君的风范！"

第伍话

丰臣秀赖将加藤清正的密函反复看了三遍，又问躲在金色屏风后面的永井百助叫什么名字。

百助答道："无名鼠辈。"

秀赖大概觉得百助的回答十分好笑，不觉笑出声来。

"拜托您别出声。"

"嗯。"秀赖点点头道，"你帮我给主计头和左京太夫带个话吧。"

"是，您说。"

"城内，有许多连我自己都弄不明白的事。"

"好。"

秀赖一确定是加藤清正的字迹，对屏风后的忍者便坦诚相待了，而且立刻作出决定。百助从捂住秀赖嘴的那一刻，便确信这位仪表堂堂的丰臣秀赖足以担任一国之君，而且是唯一之选。此际，他只觉得周身的血液都沸腾了。

"实在抱歉，请您……"

“哎？”

“请您将密函……”

“你说要还给你？”

“是的，我想这样才能万无一失。”

“嗯。”秀赖将清正的密函递给百助，毅然道，“我完全明白。”

“真是抱歉。”

“要回去了？”

“是的。”

“你回得去？”

“这您就别挂念了。只要进得来，就一定回得去。”

“看来你很了解城内的情况嘛……”

“真是打扰您了。”永井百助从金屏风后面走出，向秀赖跪拜行礼，只觉得浑身上下都布满冷汗，“告辞。”

“嗯。”

秀赖点了点头。百助再度低头行礼，就此消失不见。

翌日，秀赖将片桐且元和大野治长唤来，说道：“听说主计头从熊本来了？”

此时，淀殿并不在场。且元和治长忍不住对视一眼。加藤清正抵达大坂港之后，立刻就去了伏见的府邸，但也的确将到达的消息送到了大坂城内。秀赖不该知道这件事的，哪知竟然问到……

二人登感愕然。

大野治长疑惑不解，正待张口询问，只听秀赖说道：“我好久没见主计头了，很想见见他。这就派使者去伏见让他来大坂吧。”

“是……”

大野治长当然无法阻挠秀赖之意。而且，治长对清正虽无好感，亦不讨厌。不想让清正、幸长、正则等人谒见秀赖的人，是淀殿。然而，大野治长肯定会把秀赖要见清正一事告诉淀殿。一旦说了，淀殿肯定不准。

但是，此际尚有片桐且元。且元被秀赖、淀殿疏远，一切皆由大野治长掌控，早就很不快了。因之，他听完秀赖的话，想到右府大人特意喊他来决定此事，登时大是激动，脸色通红，抢先说道："遵旨。"

"嗯。"秀赖使劲点头，转向且元，"立刻派人去请主计头。"

"是。"

然后，秀赖又命令治长："还有，我也想见见左京太夫，你派人去请浅野。"

治长没理由拒绝。

淀殿从大野治长那里听闻此事，便亲自去了秀赖那里。

"你特意要见取悦关东、背弃丰臣的主计头和左京太夫他们，难道打算制造什么千古佳话？绝对不行！"

淀殿脸色都变了，越说越是激动。然而，秀赖这次没有退让。

面对从未反抗过的秀赖，淀殿此时甚是难堪。

当着大野治长、片桐且元和数名家臣的面，秀赖说道："我只是想见见主计头、左京太夫他们，问问亡父的生平罢了。"

故太阁秀吉都被搬了出来，淀殿自然不好再阻止了。大坂城的城主秀赖想要听听尚未懂事时就去世的父亲秀吉的丰功伟绩，此举合情合理，完全没理由否定。

淀殿果然同意了——不，其实是无可奈何，只好同意。

当天便有使者骑马出城，向伏见的加藤府邸和浅野府邸奔去。

第陆话

第三天下午，丰臣秀赖和加藤清正、浅野幸长会面了。

前一天的傍晚，清正和幸长各自带着几个骑兵抵达大坂。

当晚，浅野幸长住进了外城郭的加藤清正府邸。除了这里，中之岛地区另有一个清正的别馆。

浅野幸长的别馆在玉造，倒不是无法住人，但清正一再要他留下。

就算是淀殿，对浅野幸长都要高看一眼。只因幸长的母亲——浅野长政的夫人，正是太阁秀吉正室高台院之妹。所以，高台院就是幸长的姨母，秀吉就是他的姨父。由此算来，秀吉的儿子秀赖和幸长有着表兄弟的关系。

言归正传。和秀赖见面的那一日，加藤清正和浅野幸长早早便进了大坂城，来到二丸的片桐且元府邸等候召见。

清正看到久未谋面的且元，脱口便喊出对方幼年时的名字。

"助佐……"

"虎之助大人……"且元亦喊着清正的幼名。

　　两人紧紧握着对方的手，什么都没再说，只是久久凝望对方。

　　且元的双眼渐渐湿润，泪水夺眶而出。后来，清正、幸长、且元三人让闲人退下，走进里面的一间房内，商量起今日会面之事。

　　加藤清正鼓励片桐且元道："喂，助佐，这次我可是豁出了身家性命，左京太夫大人亦然。这可不只是关东和大坂之间的不合那样简单，希望你明白。"

　　"嗯……"

　　"想想看，如果天下再有战乱，那种恐惧、那种徒劳感……只是想想就觉得难受吧？"

　　"是呀！"

　　且元得到清正和幸长的鼓励，似乎勇气倍增。

　　此时，本丸大殿的厅堂里，正有条不紊准备着酒宴。淀殿本以为秀赖和清正、幸长会面的时间不会太长，哪知秀赖竟下令备宴。

　　秀赖特意吩咐道："告诉永井养顺，一定要精心准备膳食。"

　　不仅永井百助负责的料理间，其他主要厨房的厨师们均都上阵准备膳食。丰臣家的重臣们都按要求聚到大厅。淀殿得知此事，登时面露愁容，却又无计可施。

　　未时下刻前，清正和幸长来到大殿。大厅中的丰臣秀赖见到二人，一时难掩内心喜悦。他一直很想念清正和幸长，非常想见他们，却总是见不到。而那两人虽然求见秀赖，怎奈秀赖一直不知，所以总遭拒绝。而且，就算秀赖说要见两人，亦总被告知清正回了熊本、幸长要看守和歌山城之类，只好放弃。

　　所以，清正和幸长只好动用忍者这等非常手段。秀赖对此可以理解。

加藤清正和浅野幸长好久没见到丰臣秀赖了。看到长大成人的幼主，两人都是倍感吃惊。

秀赖看到五十许间的清正竟犹如年逾花甲，不禁担忧他的身体，得知清正的身体没有异常，便开始询问熊本城的情况。清正顺势展开早就备好的二十余幅图，细细介绍。秀赖双目生辉，侧身倾听。这些图是清正特意从京都请到熊本的画师住吉庆春画的，堪称完美。

秀赖非常兴奋，说道："真想看看熊本城啊！"

"是呀。"清正微微一笑，"我想您一定会看到的。"

闻言，淀殿立刻插嘴道："右府大人难道打算去西国啊？"

加藤清正泰然看着淀殿，不慌不忙道："现下再无战事，臣觉得日后亦不大会有了。所以，我们该去日本各地走走看了。"

淀殿狠狠瞪了清正一眼。秀赖却大点其头，赞同道："天下大定，不再需要那些大人物喽。"

左京太夫浅野幸长的双眸似乎渐渐湿润。

尚未接到永井百助后续的报告。虽没接到，但秀赖的确派使者来催他和清正去大坂了，这足以表明百助成功执行了忍者任务。

然而，幸长和清正都没想到丰臣秀赖的反应会如此强烈。

"臣会在伏见待到夏初。"清正又道，"如果每次都像这次一样得到召见，臣真是万分荣幸。"

"好，好。"秀赖立刻说道，"随时都可以。"

"真的没关系？"这次是浅野幸长发问。

"我想听左京太夫、主计头好好说说故去的父亲的事情呀。"

"啊？"

"我想听故去的父亲的事。"

"是。"

"随时可以来见我。只要跟东市正（且元）说一下就行了。"

"臣不胜感激。"

片桐且元听到秀赖点名，不觉感慨道："真是可喜可贺，真是个好日子……"说着说着，竟然激动得泣不成声。

（他……这是？）

清正看着沉浸在伤感中的片桐且元，突然大感不安。将来保持秀赖和清正、幸长之间联系的人，如果只有一个且元，似乎不太牢靠。

（果真如此的话，那……）

清正更觉得恐惧了。针对此事，幸长向清正提出了一个想法。

（不那样也可以的……）

清正虽如此想，但那毕竟是独一无二的幸长的话，故而没有反对。

事实上，他真没想到片桐且元是如此懦弱。

（适才去他府上恳切交谈时，他肯定彻底明白了我们说的事情，哪知他竟然如此软弱！）

清正对且元极度失望。这是没办法的事。如果只有清正和幸长，且元就会突然变得坚强而亢奋，精神抖擞；但一走进大殿，来到淀殿和秀赖面前，他就会变得俯首帖耳。相比之下，大野治长等人就精神得很了。

纵是清正、幸长和秀赖交谈之时，且元亦不说话。一旦淀殿开口，他更赶忙垂下眼睛。而且，当秀赖点名提到他时，他竟会立刻热泪盈眶……

看这样子，且元似乎又摇摆不定了。清正和幸长对视一眼，微微颔首，决定照原计划行事。

第柒话

大殿上，加藤清正的老臣饭田觉兵卫和浅野幸长的家臣内田弥八郎陪同出席。清正和幸长将二人唤到丰臣秀赖跟前。秀赖认识觉兵卫，却不知道弥八郎。

所以，幸长介绍道："此人是臣的手下内田弥八郎。特意带来拜见您的。"

秀赖对跪拜在地的内田点了点头。

这时，加藤清正说道："如果让觉兵卫替臣留在大坂，内田弥八郎留在片桐府上，一旦您有何吩咐，都可以直接下令，我们随传随到。"

"哦，对呀。"

秀赖欣喜万分，淀殿和大野治长则怏怏不乐。但是，此时的秀赖毕竟是个十九岁的青年君王了，不会再像幼时那样一切都听从淀殿安排。

就这样，有加藤家"名物"之誉的饭田觉兵卫和幸长的家臣内田弥八郎以和秀赖之间联络人的身份，留驻大坂。

　　丰臣秀赖似乎甚是满意，但酒宴刚一开始，淀殿便带着侍女们走了。接着，秀赖的夫人千姬亦告退了。

　　"失礼了。"清正来到秀赖旁边，借着往杯中斟酒之际，窃窃讲了几句。

　　秀赖点点头，双眸里满是真挚的光芒。清正继续低语，秀赖不断颔首，满面笑容。旁人看来，似乎是加藤清正对秀赖说了句笑话。

　　两人都是一副轻松自若的样子。实际上，清正说的是："眼下希望您一切都让着关东些，别再导致战争才是重中之重。"

　　秀赖那晚看了永井百助带来的密函之后，似乎就认识到关东和大坂之间的和平关乎天下太平。

　　会面圆满结束。清正和幸长离开大坂城，回到加藤府邸。

　　清正对幸长说道："您做得如此出色，我简直服了。这一切都靠了左京太夫大人。"说完便低头致谢。

　　就这样，饭田觉兵卫留驻大坂府邸，内田弥八郎留驻片桐府邸，清正和幸长第二天返回伏见。

　　丰臣秀赖动身上洛之前，饭田、内田二人将一直留驻大坂。

　　三日后，秀赖称想再听加藤清正说说熊本筑城一事，便命人喊来内田，继而由内田通知加藤府邸的饭田觉兵卫。觉兵卫立刻派特使去了伏见的加藤府邸。

　　"遵旨！"

　　次日下午，清正果然带了三十骑兵奔向大坂，整装谒见丰臣秀赖。最后，清正说明日会再来拜见，只字未提熊本筑城一事。

　　秀赖又一次设宴招待清正。对丰臣氏来说，加藤清正是无法割舍的实力派大名。现下这个时期，秀赖对清正尤其看重。

以前，秀赖一直觉得是清正和幸长不来大坂。明明是丰臣家特意培养的大名，却不主动到大坂来……这自然让年轻的秀赖不快，况且又有生母淀殿"那些人都是向关东献媚的"这种话，他不免半信半疑。至此，他总算明白不是清正他们不想来，当真是来不了啊。

一切疑问都没了。

单看清正、幸长竟要使用忍者才得以前来相见一事，便足以明白缘由。

翌日，加藤清正不光带来前几日的那些图，更把各种各样的资料带进大殿。丰臣秀赖见状大喜，就像是从那些被母亲、家臣、侍女环绕，从未踏出大坂城，终日无所事事的生活中解放出来了。

"将来就指望主计头和左京太夫了……"

这些话，嘴上虽然没说，实则表露无遗。加藤清正当然更是明白。

清正打开图，滔滔不绝讲述熊本筑城时的事情。秀赖侧身倾听。

淀殿自称身体不适，没有出席，但大野治长一直不离秀赖身畔。

清正和秀赖只字不提德川家康上洛一事。期间，大野治长曾上前细看熊本城的构图，向清正问了一些问题。他似乎对熊本城的壮观有了新的认识。

清正认真回答了治长的问题。

大野治长曾是太阁秀吉的随行武士，文禄三年伏见筑城时得到秀吉赏识，赐予一万石俸禄。关原之战前，治长因有暗杀家康之嫌，被流放下总国结城地区，不久便蒙豁免。而后，治长追随家康，一度前往征讨会津，却没有对家康死心塌地。后来，他来到大坂城服侍淀殿和秀赖，对德川家康更是暗暗留神。

总之，大野治长确实是以满腔热情，千方百计帮淀殿和秀赖打算。

加藤清正这天是第一次和大野治长进行长时间的交谈。

（嗯，如果是这样一个人，确实比片桐且元更可靠些……）

虽然福岛正则等人几次怒道："一定要除掉大野治长，清君侧，否则屁都做不了。"但此次交流后，清正确信治长对丰臣家无限忠诚，这一点完全不用怀疑。

治长的两个弟弟（治房、治胤）亦是服侍秀赖之人。

清正不觉得这有何奇怪，反而盘算着日后要加深跟大野治长的交情，最好先将本意告诉这位大野大人。

大野治长同样非常关注加藤清正。

这天照旧大摆酒宴，清正直至夜晚才归。第二天，从熊本来的船只到达大坂，满载着献给丰臣秀赖的礼品。清正再次求见秀赖。

"快来吧。"

他立刻就从片桐府邸的内田弥八郎那里收到秀赖的答复。

一切似乎都顺风顺水。

清正紧锁的眉头渐渐舒展，对饭田觉兵卫道："未来指日可待，该将此事早早告知高台院夫人才是。夫人一定会很高兴的！"

"那就由我去京都吧。"

"那就真让你去了？"

"没问题。"

清正将礼品运到大坂城内，逐一献给秀赖。这时，大野治长对清正的态度跟昔日迥然而异了。清正特意送给治长一副宇多国宗锻造的短刀，让治长诚惶诚恐。

第三天，加藤回到伏见。阳光明媚，完全是春天的感觉了。

德川家康很快便要上洛，离开骏府（静冈）的日子渐渐来临。

第捌话

"真是稀世奇才啊！"永井百助那晚受到的触动一直挥之不去，"这样的话，右府大人上洛一事就快要尘埃落定了吧。"

厨师养顺（永井百助）的生活一直没变，堪称一帆风顺。

百助暗自欢喜。好久好久没执行忍者任务了……估计都有二十年了吧？

被浅野长政收留之后，永井百助就成了个彻头彻尾的厨师。实际上，这位昔日武田忍者的足迹遍布京都、近江，甚至包括中国地方。

那些实力派的大名，正是从那时开始日日享受美食的。百助曾侍奉京都的朝廷权贵，中国地方的毛利家亦是他的旧主之一。

百助由此探得各地形势，报知甲斐的武田家。像百助这样的忍者，不会近身肉搏，更不会以战争忍者的姿态随军。表面上是个彻头彻尾的厨师，实则暗中收集情报送给主人。但是呢，武田忍者都是自幼便接受训练，所以摸进城内大殿之类的事，自然手到擒来。

年逾花甲的百助有将近二十年没执行忍者任务了，这次依然顺利成功。想到这一点，百助顿觉信心倍增，同时更欣喜身体尚未衰弱老化。

幸长特意叮嘱他，无论成败都别来联系。就当时的情形来看，这是理所当然的事。譬如说，被秀赖的家臣察觉后追赶，甚至被抓获时，永井百助会立刻自刎。

他早都算计好了，所以怀里特意揣着一把锋利的小刀。

百助自然清楚，大坂城现下的警备无论如何都谈不上周密。

从料理间登上天花板，会不会到达丰臣秀赖的卧房？实际行动之前，百助确实不敢断言。谁知秀赖卧房的天花板上竟然没有任何防范措施。值夜的家臣们都睡着了，完全没察觉摸进秀赖卧房的百助，就那样一觉睡到大天亮。

（若我想要取右府大人的命，只怕同样是轻而易举……）

百助不禁有些担忧。他不是受浅野家之命来这里潜伏的，所以除了自然而然看到的和听到的，不留意任何事情。

（城内肯定有人跟关东保持着联络吧。）

譬如，千姬出嫁时跟着来到大坂城的那些德川家臣、侍女长和侍女。

千姬刚满十五岁，一年前刚刚开始真正的夫妻生活。然而，秀赖和千姬很早就共同在城内生活，看上去关系很好。

这都是闲话。

总之，永井百助明白以后绝对不可大意。和歌山的浅野长政特意让儿子幸长告诉百助不要节外生枝。百助自然明白。若说百助和浅野家的联络跟以前有何变化，那就是换由浅野家的玉造别馆报知和歌山了。

"右府大人的卧房肯定要加强戒备，这无论如何都要告诉弹正大人。"百助暗暗决意，"我觉得以后一切都会顺利进行。"

后来，秀赖果然招待了加藤清正和浅野幸长。清正更是屡屡来到城内大殿，而且秀赖每次都会设宴款待。

准备酒宴之人，正是永井百助。

秀赖和清正的亲密交谈一如百助预期。

丰臣秀赖不知道那晚进入他卧房的人是永井百助，对他信赖如故，这真是万事大吉。虽说当时有加藤清正的密函这张王牌，但总归要感谢秀赖当夜听了他的话不吵不闹，认真倾听事情原委，如此方有了他和清正、幸长的会面。

"真是稀世奇才啊！"永井百助那晚受到的触动一直挥之不去，"这样的话，右府大人上洛一事就快要尘埃落定了吧。"

如此，关东方面便会敞开胸襟，跟大坂之间的隔阂自然烟消云散。

百助欣喜万分，他确信加藤、浅野两大家族定会将丰臣氏守护到底。

第二章　远州·中山峠

第壹话

庆长五年，关原之战后，德川家康立刻着手整备东海道。

东海道是江户和京都之间的大动脉，全程一百二十五里二十丁。

十年来，这里总共确立了五十三个驿站，而且敲定了驿马制度。街道两旁排着松树，一里冢亦告设立，交通和贸易都有了长足突破。

这显然是要配合德川幕府大本营江户城下的建设和扩张。天皇的京都和治理天下的将军的大本营江户之间，从此再无间隙——家康的意图，没几年就实现了。

一旦有何异常，幕府的大军就会立刻沿东海道北上，直奔京都、大坂两地。

驿站附有客栈和各种各样的店铺，大大方便了东海道的行人，绝非十年以前可比。

却说东海道上有一个日坂驿，距离江户五十五里，距离京都则是七十里半，地界上是远州（静冈）范围之内。

从日坂去中山峠的途中，有一个茶馆。

中山峠的俗称是佐夜中山，《贞应海盗记》称："攀爬佐夜中山，未久，左临深谷，前路若一道长堤，俯视两翼谷顶，足下则群鸟纷啼。"

若由江户北上，便是从金谷的驿站经菊川村，再跨过中山；若是自京都南下，则要经日坂翻山越岭。

中山峠附近有家茶馆，此事自然不值得大惊小怪。

这里卖酒，亦有蕨饼、草鞋和斗笠。

茶馆里有一位年逾古稀的老人和一个年轻人。这两人都很沉稳，共同招呼客人，口碑很好，甚至会接受行人的住宿请求。

但若知道了老人的真实身份，肯定会立刻推知这不是普通的茶馆。

老人是甲贺山中家的忍者——池胁藤左。

五十年前的庆长元年闰七月十二日，大地震席卷畿内，其程度足以和导致丰臣秀吉初次建造的伏见城彻底崩溃的那次地震相比。

那一日的清晨，壶谷又五郎和阿江从近江佐和山附近的长曾根忍宿去往京都下久我的忍宿。出了长曾根村，沿琵琶湖畔西行一里半，便是一大片池塘。两人走着池边小径。当时，香蒲丛生的池塘里面有艘小船，船上的人正呼呼酣睡。

那个人不是别人，正是池胁藤左。

这样一说，读者们就回想到当时的情景了吧？

昔日，池胁藤左和阿江的父亲马杉市藏一样，都被甲贺方面派到了武田信玄那里，但他后来遵照头领山中大和守之命，回了甲贺。

他被安排到池塘附近的哨所站岗，时不时便捕捕鱼，要不然就编香蒲叶做个草席……总之，他负责查看这一带的情况。

又五郎和阿江途经此地，果然被他撞上。壶谷又五郎尚是武田忍者之时，曾跟藤左共事，所以藤左是不会看走眼的。

接到藤左的急报，猫田与助立刻率手下十一名山中忍者前来，至京都的栗田口地区包围了又五郎和阿江两人。

又五郎和阿江突遭山中忍者偷袭，急忙逃跑，哪知大地震竟是突然发生。

袭击的指挥者毕竟是猫田与助。倘若没了这番地震，又五郎和阿江肯定逃不出这次万无一失的袭击。

池胁藤左当时就有六十余岁了，现下肯定出了八旬，却犹自耳聪目明，牙口亦好。日坂的人纷纷猜测他只有六十三四岁。

不用说，茶馆里跟着藤左招揽生意的那个年轻人同样是甲贺忍者。他的名字是迫小四郎。小四郎的亡父平左卫门是出类拔萃的山中忍者，深受故去的大和守山中俊房信赖。他现年二十有六，面容却只像个十六七岁的少年，面色红润，明明是个胖墩儿，身体却结实得有若钢铁。

大概十天之前，藤左和小四郎茶馆的访客似乎骤然增加。游人和日坂驿站的人都不知晓其中缘由。进出茶馆的男子（偶尔会夹杂着两三个女子）通常是深夜时分和黎明前悄然出现，继而离开。

茶馆最内侧有两间小屋，那里有个将近五坪的地下室，留宿茶馆的甲贺忍者就睡那里。谁都想不到木屋顶的小茶馆竟然有这样一个地下室。

德川家康上洛之日临近，忍者们正反复侦察这一路上有无异常。

关原之战以来，德川家威震天下，现下更呈现不可动摇之势。大御所家康和第二任将军秀忠身边的警戒虽略有松懈，却有甲贺、伊贺和旧武田忍者联手行动。从这个角度来说，德川幕府的情报网堪称完美。

任何地方的任何大名的动向，都会源源不断被德川家康知悉。

这一点几近完美，然而……

就拿关原那次来说，家康一天内两次被真田草者奇袭，出阵时更被壶谷又五郎率战争忍者突击！当时的家康确实身临生死险境。

因之，家康上洛的警戒工作确实不容疏忽大意。

东海道上，执勤的忍宿和哨所总共有十七个。这无疑大大超出了阿江、奥村弥五兵卫的预想。纵然如此，大和守山中俊房临死前还说关东忍者变迟钝了。

这其实是批评他们渐渐淡忘了真田草者。

本该高度紧张去站岗执勤才是。但若未曾亲眼目睹关原之战时真田草者那惊世骇俗的突袭，自然就无法理解此事。而且，若不以忍者的眼光来看，同样理解不了。

长良川上，德川家康渡舟桥时，猫田与助亲眼看到了只身前来突袭的阿江。正因如此，他才坚持要查获阿江和那些忍者。

自打山中忍者平谷伊平去年横死京都之后，甲贺便紧张了，一直苦苦搜查，哪知蛛丝马迹都寻不到，结果搜查工作渐渐就松懈下来。

眼前没有将要打响的战争，德川家的天下安安稳稳，自然就没有特别强烈的紧迫感了。

（真田草者只凭一人就足以做一件事……明白这一点的只有死去的头领大人。）

山中俊房死后，负责领导甲贺山中忍者的是伴长信。长信一直以伴家族头领的身份独自活动，从未亲眼看到真田草者活动，虽说从山中俊房那里听到阿江和壶谷又五郎的一些事情，明白不容忽视，但总归是缺乏真切体验。

而且，伴长信最近总是觉得，如果太担忧仅存的那几个真田草者，说不定会影响别的忍者执行任务。

第贰话

这一日自清晨开始便寒意袭人，宛如逝去的冬日又匆匆回来。刚过正午，灰色的天空便开始飘落白色的东西。

"真是突如其来的冷意呀。"

"樱花都快要开了，谁知竟又落雪……"

"好几年没见到这情景喽。"

天一黑，日坂驿站的人就早早关上了门窗。

雪下得真大呀。

一个年老体衰、骨瘦如柴的托钵僧途经日坂驿站，走向中山峠。驿站的旧衣店老板隔着窗子看见，不觉有些担忧，嘟囔道："那个行脚僧要去中山峠？这就要天黑了呢……"然而，他根本没有出去招呼僧人的热情，只是隔窗目送着僧人那渐渐远去的背影。

这个托钵僧正是猫田与助。

大和守山中俊房逝去的那个夜晚，他偶然回到甲贺，次日清晨便又离去，从京都去了伏见、大坂，继而来到东海道。

猫田与助许久不跟甲贺方面联系，对东海道上新近设立的关东方面的忍宿和忍者小屋几无所知。

甲贺忍者们早就不理睬与助了。目前，他只知道中山峠的登山地点附近有池胁藤左的茶馆——大概只有藤左才欣赏他吧。这两人经常互通信息。藤左接到伴长信的命令从甲贺去日坂的茶馆时，用只有他们两人知晓的联络方法通知了与助。

来到中山峠的猫田与助叩响了茶馆的门。这叩门暗号是他和藤左提前约定好的。与助观察着周围动静，略一间隔便又敲了两下门。

门后的藤左立刻察觉，问道："是与助大人？"

"是我。"

门被打开，与助闪身进了茶馆。接着，迫小四郎走了出来，关上门，猫着腰来到屋檐下，观察附近情况。傍晚变成了夜晚，雪犹自下着。小四郎确定没有异常，便回了茶馆，关好大门。

"好久不见了，与助大人。"

"藤左大人总是如此健康……"

"勉强活着，但恐怕没几天活头喽。"

"哪里，您肯定会再活好久好久呢。"

猫田与助自年轻时中了阿江那次无法挽回的袭击，性格就变孤僻了，渐渐被甲贺的忍者们疏远，只有池胁藤左和他性情相投，一直颇有交情。当然，藤左不知道猫田与助身体上的秘密。

藤左将与助带到里面。这是与助第二次来这家茶馆。

"就我一个？"

与助问道。藤左点了点头。这一天，这里刚好没有别的忍者。

藤左劝道："先喝点酒吧。"

与助慢慢喝干了碗中的酒。

"来，再喝点儿。"

"那就谢谢啦。"

与助欣然一饮而尽。他看似年逾七旬，衰老得似乎会被大风吹散，却轻松饮下了三碗酒。

但是，这家伙身体里没准就只剩这点力量了吧？

"猫田大人，水烧好了，您请用。"

迫小四郎将热水倒进一个大盆，说道。与助微微一惊，没想到小四郎这个年轻的甲贺忍者会对他如此周到。他前年春天途经这里时曾留宿一晚，当时见到的小四郎可没这般亲切。

"请用吧。"

土间里的小四郎笑着对与助说道。这真是出乎意料。小四郎上次看与助的眼神里面，分明透着轻蔑。

只听藤左从旁说道："趁水热着，请吧。"

"那就恭敬不如从命了。"

与助略一犹豫，向小四郎道了谢，去了土间。

他先将盆中热水倒进别的桶中一些，再浸湿小四郎备好的布巾，擦洗脸、脖颈和手臂等部位，这才坐到了门框上，将双脚泡进盆中。

"啊……"

这感觉太舒服了。热水似乎沿着脚底一直透到体内。

他闭上双眼，仔细体味着热水带来的舒适感。

说是春天，夜里犹自很冷，又兼昨夜露宿荒郊，白天更一直顶雪前进，现下的与助当然很乐意享受这酒和热水的款待。

突然，与助睁开双眼。有一双手伸进热水，碰到了他的脚。

第叁话

不知何时，迫小四郎来了，开始清洗与助那双满是污垢的脚。

他用双手捧着与助的脚，慢慢揉搓。

"这真是不好意思啦。"

听到与助说话，小四郎便仰脸笑了一笑。

此时，出现了意想不到的情况。

有什么陡然涌上了与助的心头，然后又涌上与助的双眼，无法克制。

一时间，与助泪如泉涌。

猫田与助哭了……这绝对惊人！目睹此情此景的池胁藤左更是目瞪口呆。与助本人亦颇觉尴尬，却是无力掩饰。

竟然流泪了……这是好几年没有的事了。

年轻时就不说了。长大成人后，一想到被阿江将男性功能完全斩断，无穷的懊恼便会让悔恨之泪流个不停。这件事，无论如何都无法从记忆中剔除。

那悔恨的泪水一直支撑着猫田与助向阿江复仇。

但是，那泪水跟此际的泪水截然不同。

年轻的甲贺忍者迫小四郎给与助洗脚，让与助大是感动。年轻人对老人的关爱，无疑打动了与助的心。换言之，这眼泪是缘自人间的真情。

（这……如何是好……）

他忙从怀中拿出一块布遮住双眼。

（我哪能这样啊？）

他觉得这真是太失态了，更何况面前尚有两个甲贺忍者。

如果总是被人类的情感打动，就无法当个真正的忍者——这是猫田与助的信念。结果，仅仅是有人给他洗了洗脚，他就如此失态。

小四郎给与助洗完脚，用干布擦拭时，与助简直恨不得把身子缩没。

小四郎对他的态度跟前年迥然不同。那时来茶馆的与助非常漠视小四郎。与助的眼神似乎是说："这就是迫平左卫门的儿子？就是个小毛孩嘛。"所以，小四郎对他很是反感。

是与助先向小四郎投去轻视目光的，但他完全没察觉这一点。

小四郎肯定是后来从池胁藤左那里听说了猫田与助的高超技艺和不凡经历，重新认识了他，所以才会按照对待年长者的礼仪，将热水倒进盆中，帮他洗脚。

看到与助流泪，小四郎难免吃惊，但肯定不会不悦。

如此一点微不足道的事，竟会让与助这样的前辈高手喜极而泣……

直到回了里面的房间，猫田与助兀自拿着刚才遮挡眼睛的布。

池胁藤左说要去准备小米粥，向土间走去。

与助突然喊道："藤左大人。"

“嗯？”

“真是太……”与助没有拿开挡眼的布，害羞道，“如此失态，让您见笑了。”

“哪里，哪有呀……”藤左使劲摇摇头，“这才是真正的甲贺山中忍者呢。”

“唉……”

“好了，好了，与助大人。”

“是你安排的吧？”

“没有，不是呀。”藤左故意提高嗓门，以便让土间灶台前背对着这边弯腰煮粥的迫小四郎听见，“现下我不知道，但很久以前的甲贺忍者都说热血是有益的，否则就无法变成真正的忍者。这是甲贺的传说之一，与助大人不会不知道吧？”

与助当然知道，却一直觉得此举甚蠢，故完全没把这说法当回事。

“难道只有血热了才会变成真正的忍者？”

就因为这个，年轻的与助才会对女人的身体充满欲望，热血沸腾，以致惨遭阿江毒手。与助从那时就暗暗决意要把忍者之血冷却。

但是，那又如何呢？

全靠着对阿江的满怀仇恨，才会有眼前这个猫田与助吧。

“与助大人偶尔会有真田草者的线索吧？”

池胁藤左喝着热粥，问道。与助只是摇了摇头，一句话都没说。

“听说头领大人去世的前夜，你回了甲贺府邸？”

“是的，陪大人喝酒来着。”

“哦，这样呀，那真是太好了。”

“真没想到就这样去世了……”

“确实让人惋惜。”

“藤左大人，莫非……”

“不错。”藤左放下筷子，断然说道，“伴长信大人有些不足。”

“何出此言？”

“他到底是来自别的家族，无法像去世的大和守大人那样……”

藤左说到这里，突然闭上了嘴，大概是不想让一旁默默吃饭的迫小四郎听到吧，是以猫田与助只是一个劲儿点头赞同，没有细问。

分布各地的甲贺山中忍者们不该拿从别的家族来的头领和死去的大和守山中俊房比较。不该如此评头论足。

山中俊房生前一直坚持当好头领，没有半点懈怠。而眼下就算忍者们有些松懈，伴长信似乎都不太当回事。说到底，这是德川家的天下了，靠着这种威仪，人人都足以平安度日，无怪乎伴长信和一众忍者会有些大意。池胁藤左感慨的显然就是此事。

“藤左大人。”

“哎？”

“这次骏府的大御所大人上洛一事，你都看到些什么了？”

“你所说的‘什么’是指？”

“沿途情况。”

“这件事呀……”

藤左称，因要准备德川家康上洛一事，甲贺、伊贺等忍者正周密监视着东海道的一举一动。

“你说他们全无疏漏？”

猫田与助微微仰面，凝视着池胁藤左，问道。

第肆话

“是的。”与助接着说道，“倘若真田草者果然暗中联系九度山，有何阴谋的话……如果我是真田草者，自然不会错失这次大御所上洛的机会。”

晚饭后，与助和藤左进行了一番长聊，两人都是不知疲倦。

小四郎将二人的床铺铺好，两人坐到上面，喝着浊酒，继续低语。他们回忆着年轻时忍者们的职责，小四郎一动不动，认真倾听。

小四郎睡的是紧挨土间的小屋。名曰小屋，实则只是一个堆放工具、器物的角落，被收拾成了铺木地板的两坪空间。与助和藤左使用的是里面的房间。两个房间之间的隔扇门完全打开。

夜深了，池胁藤左似乎有些烦了，喊道：“喂，小四郎……”

“是。”

“没睡？”

“是的。”

“快睡吧，明天要早点醒啊。”

小四郎微微一笑，猫田与助跟着露出一丝苦笑。

诸如“明天要早点醒啊”这种话，肯定不是说给忍者听的。何况，像迫小四郎这样年轻的忍者，就是三四天不眠不休都没问题。

两个人都笑了，搞得藤左有些不悦。他很想知道山中大和守临死前跟猫田与助的谈话。只要提到这些，与助便会说"头领大人那晚的话真令人震惊"、"真不愧是头领大人"、"头领大人好像对甲贺目前的状况很失望"云云，搞得藤左更想知道。但若让年轻的小四郎旁听这些，又似乎欠妥，故只好等他睡着再说。

如果小四郎上床睡了，不管是何等机密之事，他们都会用唇语交谈——看对方嘴唇的变化。这正是甲贺忍者的读唇术。

小四郎自然懂得这门技术，看得懂两人的唇形变化。

"藤左大人，这样有何不好？"与助劝道，"难道要防着小四郎呀？"

"我有事想问你嘛。"

"何事？"

"我想知道头领大人去世前夜跟你的谈话。"

"啊？"与助这才明白藤左为何催促小四郎睡觉，"要是这件事，小四郎听听是没关系的。"

"哎？"

"让年轻的小四郎听一听，未尝不是件好事。"

"哦？"

藤左讶然看着与助。他从刚才就觉得今晚的与助好生奇怪。

小四郎给与助洗脚时，与助泪流不止。这就挺奇怪的了。更让藤左纳闷的是，与助直到现下的神情都不大对劲。藤左非常清楚，与助那忧郁的脸上从不曾出现泪水，更不曾展露笑颜。看到这一晚的与助又哭又笑，他难免迷惑不解。

与助尚未察觉自身的变化。实际上，昔日的与助肯定不会对不熟悉的年轻忍者示好。

"希望大人允许小人听听。"

迫小四郎双手伏地，向与助、藤左二人求道。

"与助，这真没关系啊？"

"没关系。"与助说完，对小四郎道，"进来吧。"

"是。"

"喝点儿吧。"

与助劝小四郎喝些浊酒。藤左目瞪口呆。接着，猫田与助开始讲述那天夜里的事。藤左和小四郎全神贯注聆听。

当时，大和守俊房对与助说道："大御所大人身周真是漏洞百出。倘若我是真田草者，肯定不会错失这最后的时机。"

池胁藤左听到这里，脸色煞白，问道："头领大人真是这样说的？"

"是的。"与助接着说道，"倘若真田草者果然暗中联系九度山，有何阴谋的话……如果我是真田草者，自然不会错失这次大御所上洛的机会。"

猫田与助复述了山中大和守的这些话。只听迫小四郎微微低呼。

小四郎紧张得面色苍白，使劲咬着嘴唇，看上去都快流出血了。

藤左呻吟般问道："你觉得真田草者会再……"

"那当然了。"

"哦。"

"真田草者只凭一人就足以做一件事，这又不是秘密了。关原之战时，阿江那个臭女人去长良川伺机等候，只身袭击了大御所大人，险些得手。这件事，我不是早就告诉你了嘛。"

小四郎曾听闻当时那个女忍者的出色表现，但别的甲贺忍者对此议论纷纷。

"与助又开始胡说了。"

"就一个女忍者，哪里会大白天袭击大御所大人的队伍？"

"肯定有别的真田草者帮她。"

"就是嘛。"

大家付诸一笑，小四郎比较认同大家的说法。但是，听与助说出故头领山中大和守的看法之后，他不得不重新认识真田草者。

这天夜里，真田草者阿江睡的地方距离藤左的茶馆不到三里。

第伍话

从池胁藤左的茶馆登上中山峠，便可看到深谷之间的菊川村。

镰仓时期，跟地理位置更靠前的金谷相比，菊川的人家更多一些。源赖朝上洛时就曾下榻菊川。

战国时期，甲斐的武田家攻进东海地方，信玄死后，武田胜赖和德川家康经年交兵。有史料称："天正二年，胜赖若不从甲州来牧野原筑城，菊川的百姓便不至流离失所。自菊川驿站向东直到牧野原的这片地方得名菊坂，而西面直到佐夜中山的地方则得名东坂。再算上金谷坂和日坂，共有四个坂坡。这一带地势艰险，百姓称之曰小箱根。"所以，德川家康整备东海道时，择定大井川和贯通东西的金谷来建设驿站。

是夜，真田草者阿江特意没有留宿金谷，而是寻了菊川村畔的普通民家。

"我出门远行，是否方便让我住一夜呢？"

她说完便拿出住宿费用。那对老夫妇自是欣然留下了她。

阿江打扮成一副出门做生意的样子。

"一个女人家独自踏着风雪前进，真是……"

阿江轻松回答着老婆婆的询问，津津有味喝着滚烫的汤，吃着小米饭。

普通老百姓都是天一黑就睡了——灯火是贵重物品，早晨却醒得很早。

最里面有间大房，阿江就窝到了那里的床上。

她以前曾几次去骏府和伊势的铃鹿峠一带查探奥村弥五兵卫之下落。

德川家康上洛临近，关东的忍者纷纷来到东海道，不容许有半点疏忽。

"弥五兵卫莫非有何不测……"想到这里，阿江突然不安，"不会，不会的，他没准都回到下久我了。"

重新盘算一番之后，阿江决定回到下久我的忍宿。

骏府城下，此际正是一片生机勃勃的景象。大御所家康将要上洛，接班将军秀忠自然要不断从幕府大本营江户向骏府派来使者。将要随行家康的大名们亦纷纷抵达骏府，队列人数高达五万。

将军秀忠这次不随父上洛，而是留守江户，由家康的第九个儿子义直和第十个儿子赖宣陪老父亲前往。时年十二的德川义直是尾张名古屋城主，封地六十一万九千石；德川赖宣则以十岁少年之身，坐拥父亲旧有的骏河、远江、三河，总计五十万石。家康有意将这两人培养成德川幕府的支柱。

家康此次上洛是要出席后阳成天皇让位和新帝登基典礼，而且顺便公布"皇居改造"一事，以增进天皇和朝廷对幕府的好感；同时又借各大名听从命令，给皇宫改造工程提供巨大的资金、人力支持一事，向天下展示德川家的威望。

　　沿东海道来到骏府的阿江看到这一切之后，充分认识到德川幕府的强大实力，情绪不免低落。她从纪见峠的忍者小屋告别真田幸村之后，便回了下久我，继而匆匆前往东海道追寻奥村弥五兵卫，所以尚不知晓九度山的安房守真田昌幸病危的消息。

　　左卫门佐幸村没有将此事通知下久我。昌幸虽一时病危，现下又见好转。

　　这固然要感谢和歌山浅野家的药物。然而，幸村非常惊讶久经沙场的真田昌幸那顽强的生命力。向井佐助打算将昌幸病重的事情通知下久我时，幸村阻拦道："没事，父亲大人一定会康复的。"

　　话说回来，这天夜里，老夫妇家里的阿江无论如何都睡不着。

　　阿江不愧是阿江。她一直推敲着东海道上哪里会有德川家的哨点，所以时不时便会选择远离街区的山路。奥村弥五兵卫偷偷去东海道袭击家康，要想寻到弥五兵卫，就要先搞清他的想法。

　　（但是，若把左卫门佐大人的话告诉弥五兵卫，他肯定会很沮丧吧……）

　　幸村坚称要从战阵中获取家康的头。得知幸村的想法后，阿江深有感触。

　　（不愧是幸村大人……但弥五兵卫会不会同意呢？）

　　反正是幸村的命令，所以只好同意。

　　不想错失良机的奥村弥五兵卫肯定会愤然说道："不是早就跟阿江说好了，不要把这次行动告诉九度山，按照我们的想法去做！"

　　（肯定会责怪我的……）

她没把这个约定告诉幸村。

幸村确实看透了她的心思。但弥五兵卫知道之后，肯定会说："都这种时候了，你为何要去见左卫门佐大人？这真不像阿江的作风啊！"

如果被这样说，阿江当然无话反驳。

约定就是约定。破坏了忍者之间的约定，弥五兵卫哪有不恼火的道理？

（该怎样说服弥五兵卫呢？）

这才是当务之急。

天知道弥五兵卫会不会说："那就随你便吧。就算孤身一人，我都要去拿下大御所的脑袋。"他都决定瞒着九度山的真田父子行动了，肯定不会再动摇想法。

阿江非常清楚奥村弥五兵卫的行动会是何等可怕猛烈。他身上根本没有故去的壶谷又五郎那种柔和。

（唉，横竖都是我的错，要是不去见左卫门佐大人就好了。）

如果没去见幸村，阿江大概就跟弥五兵卫联手踏上暗杀家康之路了。

那样一来，不啻是背弃了真田氏。

近期之内，弥五兵卫没准会回到下久我着手准备。所以阿江离开下久我时曾特意嘱咐权左和中原丈助，如果见到了弥五兵卫，一定别让他离开下久我，直到阿江回去。然而，她总是觉得忐忑。

（明天离开这里，早点回下久我吧。）

阿江虽系女流，却是忍者，走七十五里路回到下久我，三日足矣。

要是十年前的她，有两天便足以奔回去了。

夜深了，雪停了。好像一度下得挺大，但毕竟是春雪，不会妨碍明天赶路。

第陆话

翌日清晨，晴空万里，阳光炫目。

那对老夫妇将昨晚剩的小米饭做成了大酱汤，而且加放了特意采摘的马兰。阿江到底是个女人，高兴得不得了。老婆婆又把涂满豆酱的小米饭做成便当，让阿江带着。

关原之战时，阿江决意只身袭击西上的德川家康，遂住到远离岐阜城下的长森村中的老夫妇家里伺机行动。

"当时那对老夫妇待我如亲生女儿，亲切备至，不知是否健康如故……"

眼前这对老夫妇似乎同样没有孩子，没准是早早死去了吧。

"路上不好走呢。"

"再住一宿吧。"

老夫妇相继劝道。

"不行呀。以后我再来东海道时，一定让我再来住住吧。"

阿江说这话时，委实觉得没底。但是，只有这样说了。

"以后每次都会来我这里住呀？"

"是的。"

"那我们等着你，就盼着你再来喽。"

"好，那就再见了。"

"路上注意些呀。"

"非常感谢。"

看阿江的着装打扮和体格，老夫妇断定她是个常年出门的女人。

阿江穿着兽皮袜和新草鞋，背着行李，打扮成一个把京都制造的梳子卖到骏府、江户的女商人，所以行李中自然有此类物品。

难道天下真太平了？女人用的梳子上都有了各种装饰……

昨晚睡觉前，阿江送给老婆婆一把梳子，老婆婆嘴上说头发掉得都快没得梳了，却像小姑娘一样红着脸收下了。

阿江道了谢准备离开时，老婆婆似乎突然想到了一些事情，一拍大腿说道："啊，对了，你等一下。"

"啊？"

阿江又返回土间。

"我有东西给你，等一等哦。"

老婆婆说完便走了，土间里的阿江只好一直等着。

须臾，老爷爷问道："你翻什么呢？"跟着走了进去。

就这样，大半天没了。

倘若老婆婆没喊住阿江，她现下肯定正攀登着中山峠。如果那样，后面的事情肯定就完全不同了。

又是片刻之后，老夫妇拿出一根拐杖，是将枇杷木削细后做成的。据说这是老婆婆的母亲用的东西。

"登中山峠时用吧。"

"啊，这……"

阿江登时觉得有一股暖流涌上。对早早失去生母的阿江来说，这些老婆婆对她的细致照顾真是太难忘了。而且，永远都不会忘怀。

阿江收下拐杖，万分感谢，再次向老夫妇告别，走向了东海道。

这里说是街道，周围的路面却都很窄。群山环绕的细长平地变成了巴掌大的耕地，而且有小河流过。

踏足小河上的木桥之际，阿江突然看到一个游商从北面沿小路走来，大吃一惊，伫立不动。就算有斗笠遮着脸庞，阿江都认出了那个身影。

"弥五兵卫！"

不错，来人正是奥村弥五兵卫。

弥五兵卫似乎同样吃了一惊。

然而，这二人都不是一般的人物。弥五兵卫若无其事地打量着四周情况。这是雪后初晴的早晨，周围没有人影。弥五兵卫确认之后，便默默转身走了，阿江稍稍离开一段距离跟着。

弥五兵卫离开小路，走进一片树林。他刚才就是从这茂密的树林中走出来的。

走进树林深处，他站住问道："出了事？"

"没，没有，我就是来见弥五兵卫的。"

"哦？"

"您接下来打算去哪里呀？"

"我想先去骏府……"

"哦……"

阿江放松了些。倘若老婆婆没给阿江拐杖，那她现下都开始登中山峠了，而稍后来到菊川村的弥五兵卫则会前往骏府，两人自然不会相遇。

"哎呀，真是太幸运了。"

"啊？"

"我想我们目前先别急着……"

阿江话未说完，六十有一的奥村弥五兵卫便打断道："我都决定了啊！"

他就像个年轻人一样，脸庞涨得通红。

"但是……"

"袭击大御所，只要利用中山峠到大井川这段路就行了。而且，我查到了一个忍者小屋呢。"

"弥五兵卫……"

"我觉得等到大御所上洛回来，回骏府时下手较好。"

"弥五兵卫，这，这……"

"咦？你……"

此时，池胁藤左的茶馆里，猫田与助刚刚睡醒。他昨天和藤左聊到很晚，以致睡过了头。

藤左和小四郎早就醒了，正准备着早饭。

"与助大人，再住一晚吧，没跟你聊痛快呢。"藤左招呼道。

第柒话

大概两小时后，阿江和奥村弥五兵卫去了别的地方，这才开始交谈。

他们去了小鲋川上游山林斜对面的伐木小屋，那里久无人居。粟岳东侧山腹的树林十分茂密，从两人偶遇的地方往北走一里地，就到了这间伐木小屋。

这不是三言两语就可结束的交谈。所以，弥五兵卫将阿江带到了这里。

"拿这里当忍者小屋吧，以备不时之需。"

弥五兵卫说道。他花了相当的时间和精力观察附近山林，详细调查了地形。

袭击德川家康无疑要有死的觉悟，但事后总归是有望逃脱，所以这方面的准备工作同样非常重要。不但要准备好忍者小屋，更要提前选好翻越粟岳后的退路。此时尚无法确认偷袭行动的人数，所以弥五兵卫唯有先做好这些准备。

阿江支支吾吾道："实际上……唉，真是愧对弥五兵卫，但是……"

她吞吞吐吐说出要停止突袭家康的行动。弥五兵卫大怒，脸上登时通红，但很快就变得苍白，问道："你说……你是认真的？"

"是的。"

弥五兵卫微微一哼，凝目望着阿江。他从未对她使用如此凄厉的眼神。

"先听我解释，弥五……"

"解释有个屁用？"他的措辞都变粗鲁了，"好，你说吧！"

"弥五兵卫，这是左卫门佐大人的指示。"

"左卫门佐？"弥五兵卫话音未落，猛然抓住阿江的肩，"你去九度山了？"

"是去纪见峠的忍者小屋见到的……"

"你……你……你竟然要这样做？"

阿江一时间不知该如何回答。弥五兵卫撇了撇嘴，推开阿江。

"弥五兵卫，希望你谅解。"

"不会的！"

"弥五兵卫，你听我说，左卫门佐大人说……"

"不，我不想听！"

"不，我一定要将我知道的告诉您。"阿江毅然道，"您一定要听。"

"哦？"弥五兵卫的话音中充满鄙夷不屑，"我以前真不知道阿江小姐是这种人，真没想到你是个不遵守忍者约定的人！"

阿江顾不得这些了，径自开始述说左卫门佐真田幸村的想法。

她嗓音低沉，却充满力量，有一种不说服弥五兵卫便不罢休的霸道之感。

弥五兵卫双臂环绕胸前，闭上双眼，紧闭双唇，嘴却有些抽搐。

恰是这时……

池胁藤左对与助说道："你好好休息一天吧，我去一下挂川。"

"去挂川的哪里？"

"忍宿。"

"哦？"

"与助大人要不要跟我同行？"

"不了，我只想见藤左大人。"

"只是去联系一下，很快就回来了。"

"我等你。"

"小四郎，照顾好与助大人。"

"是。"

藤左出门后看了看天空，感叹道："好天，阳光明媚，真是快到春天了呀。"然后便向日坂方向走去。

昨天雪很大，却没有积雪。道上的泥地被温暖的阳光慢慢弄干。

挂川正前方道路南侧的山脚下，有个名曰"威光寺"的小庙，目前是关东方面的忍宿。寺僧慈海曾服侍年轻时的德川家康，大概二十年前出家，得到家康的资助创立威光寺。

慈海和尚和德川家族之间有着千丝万缕的关系，家康曾好几次来寺中留宿。

慈海不是忍者，但自丰臣秀吉晚年以来，包括关原之战前后，都一直执行着忍者性质的任务。

德川家这次要准备德川家康上洛之事，威光寺和藤左的茶馆都是东海道警戒工作的要点，两地由此有了紧密的联系。

关东忍者来威光寺时，一定会去藤左的茶馆，而藤左则每三天去一次威光寺，以便保持联络。

从茶馆到威光寺，大概有两里地。池胁藤左这天清晨去威光寺，是想将猫田与助的事情告诉慈海和尚。

与助一直打扮成云游各地的托钵僧，藤左觉得以后不如让他以威光寺的名头行动。

从与助昨晚透露的信息来看，他确信真田草者想利用家康上洛的机会行动，所以正独自一人搜寻线索。

藤左知道了故头领山中俊房死前告诉与助的话，立刻觉得此事非同小可。

不管对方是不是真田草者，关东的警戒工作都不该有一丝懈怠。

藤左听着与助的话，突然毛骨悚然。

当时，与助断然说道："我无意借助那些鄙视我的甲贺忍者的力量。"

藤左和小四郎都想帮助与助。

威光寺的慈海和尚看着池胁藤左，说道："倘若有何难言之隐，甚至别的事情，都不妨告诉我吧，要不然就跟我商量商量？否则，我根本帮不上您呀。"

慈海和尚六十有五，眉毛花白，身材矮小，又是武士出身，所以和忍者的秉性大不相同。

"我得有此时此刻，全拜大御所大人恩赐，就算死了都不足惜。但是，倘若他将来真要置我于死地，希望您一定出手助我逃脱。"

这种话都说出来了，足见他非常喜欢藤左。

藤左自然会将和尚的话深埋心底，不透露给任何人。

和尚说道："我明白了，最好将猫田与助带来一次。"

藤左又把真田草者们蠢蠢欲动的情况告诉了和尚。

"嗯……"和尚柔和的眼中有光芒一闪，"的确不容轻忽。"

"您千万别泄露给别人。"

"好。"

和尚的回答不容置疑。

池胁藤左本打算这就回茶馆了，但和尚给他沏上了茶，结果直到快中午时才离开威光寺。

第捌话

"从此以后，奥村弥五兵卫跟真田草者再无关系。我要以自身之力，取下大御所的脑袋！什么女忍者，不过如此。"他瞥了瞥阿江，"再见了。"

粟岳山腹的伐木小屋中，阿江反复劝说，无奈奥村弥五兵卫根本听不进去。

（为何竟会这样……）

阿江无法接受弥五兵卫的倔犟和执拗，只觉得根本不认识眼前这人。

"别废话了！"他漠然推开阿江。

"我都这样说了，你……"

"没用！"

"我求你了。"

对方理都不理，只是翻着白眼，斜睨阿江。

"我再问您一遍，左卫门佐大人的话，您都不听了？"

"这个嘛……"弥五兵卫冷笑道，"不是都说好了，这次的行动不理会九度山的意向，就由我们自由行事！"

"我知道，但是……"

“别说了。”

“弥五兵卫……”

“阿江小姐，你早点回下久我吧。”

“我们一同回去吧，弥五兵卫……弥五……”

“你回去吧。”弥五兵卫傲然一立，那表情似乎想往阿江脸上吐口唾沫才解恨，“我再不会回下久我了。”

“啊？”

“从此以后，奥村弥五兵卫跟真田草者再无关系。我要以自身之力，取下大御所的脑袋！什么女忍者，不过如此。”他瞥了瞥阿江，“再见了。”

说完便抓着行李和斗笠，狂奔而去。

“啊！”阿江怔怔出神，跟着便向门口跑去，“弥五兵卫，等等我……”

这时，弥五兵卫早就走进了杉树林，消失不见。只留下愕然呆立的阿江。

阿江一时不知何去何从，下一瞬间，她立刻回小屋背好行李，跑出去追弥五兵卫。她甚至忘了拿斗笠，足见急切之甚。

奥村弥五兵卫现年六十有一。自关原一役负伤以来，他的体力见衰，脚力更是大不如前。

而阿江亦不再是昔日那个阿江。

（无论如何都得追上他才行！）

山林中没有道路。阿江玩命追着弥五兵卫。

（唉……到底是没追上。）

阿江没了斗志。她完全看不到树木之间那时隐时现的身影了。

弥五兵卫曾用好几天功夫把附近地形摸透，阿江却是第一次来这里，所以追着追着就看不见弥五兵卫了。谁知道弥五兵卫是不是途中换了方向？

山林中一片昏暗，又没有路，根本就看不清啊。

而且，那家伙跑得何等之快。

阿江累得不行了，只好蹲下来休息片刻。她是从小竹林穿行来的，绑腿都撕扯破了，腿上流着血。

一只野兔自阿江眼前跑过。

山林前方很亮。她听到了山谷的溪流之响。

（我死活都得追上弥五兵卫，一定要说服他！）

阿江暗暗立誓。当然，她同时亦做好了被弥五兵卫拒绝的准备。

如此一来，她的神情登时不一样了。

她决定暂且返回适才偶遇弥五兵卫的菊川村附近。走出山林，便看到了山谷间的溪流，那正是小鲋川。沿着岸边的小路南下，就是菊川村了。

（弥五兵卫会去哪里呢？）

阿江盘算着。

两人刚碰面时，弥五兵卫曾说要去骏府。阿江边赶路边推敲他会不会是去了骏府。

以一般人看来，此时的阿江哪里是赶路呢，根本就是狂奔。

然而，弥五兵卫不会忘了曾告诉阿江要去骏府。所以，他再去骏府就会被阿江追上。

从中山峠经菊川、金谷，便是大井川了。大井川离河口很近。

河的两岸正对着骏河湾，地势开阔，所以无法再走山路了。

到达菊川村畔之时，阿江便有了决定，不再迷茫。

弥五兵卫早晚会走出山林，踏上街道。所以，只要经中山峠抢先往东海道的西方走去……

日上三竿，冰雪消融。开始攀登中山峠的阿江满身是汗。

（就干了这点儿事，竟然全身是汗……）

阿江非常沮丧。无论怎样，都不再是年轻时的身体了。

所以，唯有全力追赶弥五兵卫！

对现下的阿江来说，早晨那老婆婆送的枇杷拐杖真是至关重要。

这里基本上看不到游人的身影。东海道的繁荣景象，是好几年后才出现的。当时的人们都不惯出行，除非有特别之事。

阿江爬到山岭顶端，取出腰间的竹水壶，先漱了漱干裂的嘴，而后稍稍喝了几口。她很快就会行经藤左的茶馆了。

此时的茶馆里，里间的猫田与助正焦急地等待藤左回来。迫小四郎则给那些比阿江稍早抵达这里的游人端上白开水和黄米年糕。

而池胁藤左刚好从日坂的驿站向茶馆走来。

第玖话

明明都十五年了，却一眼认出那就是阿江，真不愧是甲贺山中忍者中赫赫有名的池胁藤左。

藤左茶馆里那个吃着黄米年糕的武士，正是忍者小屋和忍宿的联络人。他不是甲贺忍者，而是昔日的伊贺忍者。他的旧名字无人知晓，现下用的名字则是赤堀兵助。

赤堀从事秘密联络工作，目前负责大御所上洛时使用的东海道的警备，一直来来回回巡视各地。

他三十七八岁的样子，但忍者的年龄只靠脸庞和身形是很难说的。

德川家的家臣服部半藏正成是伊贺忍者出身，他很早就开始追随家康，利用伊贺忍者形成了谍报网，后来又吸纳了甲贺忍者。武田家灭亡后，谍报网里面更有了昔日武田忍者的身影。

关东方面的忍者大军之中，很难说没有以前就认识阿江的忍者。所以阿江唯有谨慎行事。

直到开始登中山峠时，她才察觉从伐木小屋出来时忘了拿上斗笠。

（我竟然……）

阿江紧咬嘴唇，甚是懊恼。

本来觉得会顺利说服对方，哪知奥村弥五兵卫竟如此抵触。

阿江的情绪不知不觉就激动了，突然背上行李离开，完全忘了一旁的斗笠。

将水壶放回腰间时，阿江突然想到去日坂的山脚下有家茶馆。从江户回来的路上，她曾行经中山峠附近的那家茶馆，虽没进去歇脚，却从斗笠下面看到有个挺憨厚的年轻人正招呼着客人。土间里面则有一个老人的身影。

（就去那家茶馆买斗笠吧。）

那家茶馆既卖斗笠，也卖草鞋。

阿江完全不知道她想去的茶馆正是池胁藤左那家。

她开始下山。走出茂密的树林，登时觉得阳光炫目，四下里弥漫着泥土芬芳。花草树木都刚刚发芽，昨夜的大雪就像是春天开的一个玩笑。

阿江来到茶馆前方，对迫小四郎喊道："给我拿顶斗笠！"

里面的猫田与助正打着盹儿。阿江无意中瞥见了与助的下半身，却根本想不到那个人便是与助。

迫小四郎对打扮成女商人的阿江全无怀疑，卖给她斗笠之后，甚至提醒她路上小心一些。

"谢谢。"阿江微笑点头，转身离开了茶馆。

半睡半醒的猫田与助隐约察觉有客人来，结果跟着就又睡去了。

此时，池胁藤左就快要走到茶馆了，正沿着山道向右一拐。阿江刚好离开茶馆，正要把斗笠戴到头上……倘若藤左是阿江戴上斗笠后才出现的，恐怕只会把她当成一个孤身出门的女人，就此擦肩而过，而后回到茶馆。

但是，藤左看到了。拐弯之际，藤左看到了阿江的脸。

他猛然一惊。十五年前的琵琶湖畔，藤左偶然瞧见了壶谷又五郎和阿江。他本来就认识又五郎，却不敢肯定又五郎带着的那个女人就是马杉市藏之女，直到听猫田与助讲了关原之战时真田草者的作战风格和阿江的事情之后，才确定那女的就是市藏之女——阿江。

明明都十五年了，却一眼认出那就是阿江，真不愧是甲贺山中忍者中赫赫有名的池胁藤左。

事出突然，藤左一见阿江，忍不住露出讶然之色。

藤左没戴斗笠。要照往常，他肯定会若无其事走回茶馆通知小四郎和与助，继而联手去捉拿阿江，要不然就是跟踪她查明真田草者的小屋。

阿江自然想不到山路拐角那里突然出现的老爷爷会是池胁藤左。阿江少女时跟随甲斐国古府中的父亲马杉市藏生活，和藤左有数面之缘，但都是很久很久以前的事了，所以这时没认出藤左，只是察觉了对面老人那惊异的目光。

阿江暗暗一惊。

（这个老家伙肯定认识我。）

换言之，对方是关东方面的忍者。

见状，藤左断定被阿江察觉，索性不再装得若无其事，驻足死死盯着阿江。阿江则用左手拿着本欲戴上的斗笠，望向池胁藤左。

两人就这样对视着，一动不动。

阿江的对面就是茶馆。只要藤左大喊，茶馆里的小四郎是不会听不到的。

只听藤左低低问道："是真田草者阿江吧？"

第拾话

阿江和藤左之间有三四米的距离。

藤左问话之际，阿江忽一俯身，将斗笠扔向藤左的脸。这斗笠是从藤左的茶馆里买的，只是个司空见惯的物件，却像活物一样旋转着打向藤左的脸。

池胁藤左立刻俯下身子。斗笠从他头上扫过。

阿江乘势后退，将右手的拐杖换到左手，从右边腰间挂着的兽皮袋里摸出三个铁片。铁片的粗细犹如人之食指，前端尖锐，后端有两个方便拿捏的凹槽，正是武田忍者和真田草者口中的"投爪"！

投爪从阿江手中"嗖"一下掠了出去。如前所述，池胁藤左根本不擅长这种近身肉搏，但他倒是不费吹灰之力就闪躲开了。

藤左跑进右边的树林躲避投爪，突然疾呼道："出来！小四郎，快出来！"

阿江闻言大惊，唯恐对方另有同伙，赶紧收手，不再向树林中投出剩下的那枚投爪，而是转身逃跑。

往哪里跑呢？往藤左的茶馆跑。如果沿着路往前跑，不远就是日坂驿站，非但引人注目，更容易被对方盯住，到时就难脱身了……

只见一个男人拿着棍子，从茶馆里跑了出来。正是适才卖斗笠的年轻人。

（完了！这茶馆竟是个忍宿！）

阿江只得一手拿着拐杖一手拿着投爪，冲着小四郎奔去。见状，小四郎登时明白了阿江的身份，凶神恶煞一般将棍棒扫向阿江双腿，想要用棍棒绊倒阿江。

一霎眼间，阿江纵身一跃，棍棒便扫了个空，右手同时一甩，将投爪掷向了小四郎。

"啊！"

投爪没进小四郎的肩头，他一下子就站不稳了。

"别让她跑了，她是真田草者！"

池胁藤左从树林中跑出大喊之时，伊贺忍者赤堀兵助亦跟着小四郎跑出茶馆。

"臭女人！"

赤堀以雷霆之势抽出腰刀，挥向眼皮底下阿江的侧脸。阿江身子一缩，伸左手以拐杖挡住了这一刀。拐杖系用坚硬的枇杷木制成，故而扛得住赤堀一刀。接完这招，阿江竟是无意逃跑，反而悍然扑向赤堀兵助，将拐杖击向对方双目。

赤堀扭身闪开。恰是此际，猫田与助从茶馆里冲出，看到阿江，目瞪口呆。

哪里想得到，此时此地，藤左的小茶馆前，竟然会跟阿江重逢！

阿江一时似乎没认出这个年老的托钵僧是猫田与助。

"臭女人！阿江！"

与助大喊着，伸出双手要抓住阿江。阿江一下从他的胳膊下面溜去。迫小四郎顾不得肩头的投爪，拾起棍子抡向阿江。

阿江侧头闪开棍子。这时，赤堀兵助遥遥跑出，端好大刀，防备阿江向中山峠方向逃窜。池胁藤左则拾了几颗石子，丢向阿江。

这样一讲，就好像几个人混战了好久，其实这五人都是忍者，动若脱兔，如此交手只是一瞬间事。

阿江用枇杷木拐杖打向猫田与助的脖子，跟着便开始逃窜——不是逃向中山峠，而是逃进茶馆。这真是出人预料之举。

从土间跑到里屋的阿江回头一看，立刻掷出三个投爪。

"嗖"的一响，投爪削去了与助的耳垂，继而划破小四郎的脸颊。

"站住！"

猫田与助甚是懊恼，后悔竟然赤手空拳就冲了出来，跟着便像野兽一样嘶吼着徒手扑向阿江。

阿江一脚踢开里屋的拉门，向后面跑去。眼前是一片山林。她玩命跑向山林，心脏都似乎要跳出来了。她的眼前一片黑暗，几近绝望。

（唉……完了，这次是真逃不掉了……）

二十年前的天正十九年，阿江顶着雪潜进甲贺，曾被山中忍者团团包围，当时的她亦曾感觉逃不掉了，却未丧失全力逃出去的欲望。

现下的阿江跟二十年前不再相同。短时间的交战尚好，持久战的话，体力便会不支。此刻的阿江清楚察觉了这一点，而且是不得不察觉。

然而，恐怕只有阿江才足以跟这四个人缠斗这样久吧！

小竹林中，阿江伏卧着，寻思该如何逃脱。甲贺忍者的"苦无"不断自背后射来，从她头顶上掠去。

（与助？那个和尚竟然是猫田与助……）

阿江这才惊觉与助犹自活着。

（真没想到会被这家伙杀死。）

山白竹中挣扎着的身躯重若磐石。

（不行了……跑不动了……）

阿江精疲力竭，身子突然向下一沉。

是悬崖。她不知何时横穿了山林，迷迷糊糊从山崖上坠了下来。

适才，奥村弥五兵卫曾沿着中山峠南面斜坡上的一条小路行走。这不是人人皆知的大路，而是只有附近的樵夫、百姓才知晓的小路，两侧皆是山林。

他利用山林之便，躲开了苦苦追着他的阿江，现下渐趋冷静。

（刚才不和阿江那样争执就好了……）

弥五兵卫开始后悔之前的情绪失控，却没有打消暗杀德川家康的念头。只因阿江突然拿幸村的话来劝他，他才会情绪失控。

——明明都说好了，为何又要偷偷去见左卫门佐大人！

这件事激怒了弥五兵卫。

（唉，我该去说服阿江才是。）

弥五兵卫的想法变了，故而回头去寻阿江。

他回到和阿江交谈的伐木小屋等了片刻，却不见阿江出现。

小屋里只有阿江落下的斗笠。弥五兵卫拿上那顶斗笠，出了门。

第拾壹话

（阿江肯定是去追我了……）

弥五兵卫开始推敲阿江会沿着东海道上行还是下行的问题。

遇见阿江时，他确实曾说想去骏府探探情况。阿江肯定记得此事，但无法断定她会去骏府。双方都是忍者，自然会再往深设想一层。

他犹豫着来到偶遇阿江的菊川村畔，忽然决定先去日坂看看。孤身出门的女商人肯定特别引人注目，如果日坂驿站那里打听不到消息，就立刻扭头回骏府。

弥五兵卫没有沿东海道攀爬中山峠，只因他知道附近的几条小路和山中小径。无论怎样，总要先去说服阿江看看。倘若说服不了，那便独自去取大御所的性命好了！

中山峠一带没有特别高的山峰，地势却是异常复杂，总会看到些洼地、山谷之类，纵是当地百姓都常常迷路。奥村弥五兵卫将附近仔仔细细走了一番，渐渐谙熟了地势。他察觉关东的警备工作似乎有些不足。当然，跟关原之战时的情况相比，那是大有改观。

（这个左卫门佐大人……真是的！真田家和真田草者都落到这种境况了，难道有比舍身取得大御所性命更好的办法不成？）

先前的怒火和怨言渐渐冷却。弥五兵卫无论怎样思索，其根基总是固定不变——只要取了大御所的命，关东就会和大坂决裂，而真田家则会以其杰出的战术韬略名震天下。

弥五兵卫踏上陡峭崖下的一条小路，身体两侧都是悬崖。这时，突然有人从右面的崖上滚落下来。

是一个女人。悬崖上覆盖的积雪登时开始震动。

阿江掉了下来。

"啊……"弥五兵卫大惊，"阿江，坚持住！"

他刚要碰到阿江的身子，便听到一群男人的动静。

（有人追她！）

弥五兵卫立刻将身上的行李往崖下一丢，抱好阿江，俯耳说道："阿江，一定要挺住啊！"

匆忙间无暇确认，但阿江身上似未出血，估计不会有大碍。

弥五兵卫确认之后，便抱紧阿江向左一跳。

"快！别让她跑了！别放走她！"

当猫田与助大喊着来到悬崖上时，阿江和弥五兵卫的身影早就消失了。迫小四郎横穿竹林抵达，比与助略晚一些。

"好像从这里掉下去了。"

"哦……"

若是以前的与助，肯定会立刻纵身跳下，但这时竟有了片刻踌躇。反而是小四郎一下子跳了下去。小四郎的身体和峭壁一撞，半空中借弹力将身体一旋，稳稳站到了山路上。

猫田与助紧跟着跳了下去，却兀自想不明白刚才为何会有些犹豫。他毕竟老了，无法像小四郎那样行动，只得用背脊贴着峭壁滑落。

这时，池胁藤左正跑向挂川的威光寺，以便跟慈海和尚求援。

赤堀兵助随猫田与助跃下山崖。

"这是……哪里？"

与助瘦弱的身体布满伤痕，强忍疼痛，咬紧牙关站稳。只见迫小四郎和赤堀兵助对望一眼，点了点头，分别向两翼跑去。他们完全想不到落崖的阿江会再跳下前方的山崖。

山路泥泞，很难识别脚印。所以，小四郎朝菊川方向，兵助朝日坂方向分头去追。猫田与助想要站好，腰部的剧痛却让他忍不住"哎哟"一下，似乎伤得不轻。早知如此，真不如像迫小四郎那样果断跳下去啊。峭壁上凸出的岩石好像给了他的腰部重重一击。

——当时犹豫着怕脚摔断，果然是不容有片刻犹豫。

这似乎表明他对身体缺乏了自信。

（猫田与助呀，你真是……唉！）

横竖都是活该。他只得屈着膝，咬紧牙关慢慢站立，无奈疼痛难忍，又一下倒进山路上的泥泞，搞得法衣沾满了泥土和汗水。

（真是的！我……我这是……）

他唯有狗一样沿山路爬向日坂，哪知才爬了三四米便又趴下。

当真是疼得要死。

（当时为何不果断跳下去呢？我为何会迟疑呢？）

猫田与助的双眼浸满悔恨之泪。

"阿江这臭女人了……我看到了……我非要取下她的脑袋……"

趴在山路上的与助嘶哑着说完这些，再度悔恨哭泣。

第拾贰话

池胁藤左喘息着跑向挂川的威光寺。他不曾经受猫田与助那样的训练，所以用了一小时才跑到威光寺。

而且，他刚刚经历了跟阿江的混战，从头到脚都是冷汗。

（我……甲贺忍者池胁藤左的体力……竟如此不堪……）

他深感懊恼，唯有竭尽全力。

"啊？"威光寺的慈海和尚听了藤左的话，大吃一惊，"后面的事就交给我，你先歇歇。"

"那我……"

"你先好好休息一下。"

威光寺有两个年轻僧人，都是伊贺忍者。慈海第一时间将藤左说的事情告诉二人，命其速速行动。二人出了威光寺，沿东海道背对跑开。一人沿街道向西上行，前往挂川和袋井之间的某原川的忍者小屋；另一人则取道中山峠，从菊川奔向金谷驿站的某个忍宿。

不愧是年轻的忍者，速度极快。

　　如此一个通知一个，沿途的忍宿和小屋中不断有人出来，缓缓缩小了阿江和弥五兵卫的活动范围。他们两人被包围了。然而，对方的目标只是一个真田草者，根本不知道尚有奥村弥五兵卫。

　　"藤左，坚持住！"慈海抱着池胁藤左，走向房间。

　　"慈海方丈……"

　　"嗯？"

　　藤左脸白如纸，喘息着道："看来，我们真是疏忽了……"

　　"别担心，我都知道了，不会让那女忍者跑掉的，她跑不了！"

　　"好，好……"

　　诚如和尚所言。女忍者孤身来到布满警戒力量的东海道，纵然逃得一时，亦不会逃得出包围网。

　　"但，但是，方丈大人……"

　　"别说了，好好睡一觉，我这就去给你拿汤药来。"

　　"我没事。"藤左紧紧抓住慈海和尚的衣袖，"千万别大意啊。"

　　"我知道。"

　　"虽是女辈，却是个胆大勇猛之人……"

　　"好，我知道啦。"

　　"方丈大人……"

　　"别说了，好好休息。"

　　此时，池胁藤左的眼睛都翻白了，忽然微微低呼，抓着和尚袖子的手松开了，落回胸前，软软倒进和尚怀中。

　　"喂，藤左！"

　　慈海托着藤左的身体，看了看他的脸，微微摇头。藤左死了。他午后离开威光寺，走回日坂茶馆的途中突然碰到真田家的女忍者，跟着便是一场混战，又急忙跑到威光寺报告这一情况。如此剧烈的一番折腾，藤左的心脏自然承受不了。

话说回来，像藤左这般年纪的老人竟可执行这一系列任务，真不愧是甲贺忍者。

"藤左，放心交给我吧。"

慈海和尚将池胁藤左仰卧放好，开始念经诵文。藤左闭上了双目。

日头偏西，深深的庭院里只有些许光亮。藤左那张因痛苦而扭曲的面容得到幽冥的安息，渐告平静。和尚兀自念诵着经文。

池胁藤左死去不久，赤堀兵助便抵达了威光寺，又按照慈海和尚的指示，快速离去。

黄昏时分，追小四郎背着猫田与助，来到威光寺内。小四郎从菊川一路去了金谷，却没有追到阿江，不禁寻思她是否逃往日坂方向，故再次返回崖下小路，只见猫田与助正待在那里，动弹不得。

与助极度羞愧，头都不愿抬。小四郎安慰着他，将他背到了威光寺。小四郎看出与助伤得很重。与助不断哀求小四郎："把我背到藤左的茶馆吧，拜托了，拜托你了。"除了小四郎，他不想再让第二个人看到他这副模样。

然而，小四郎哪有功夫照顾与助？

"我一定会替与助大人捉住阿江的。那女人铁定跑不掉。目前，我要按照藤左大人的要求，去威光寺听听方丈大人的指示。"

"我本想亲手取了阿江的命……"

至此，与助彻底明白这是无望的了。猫田与助被小四郎背着前往威光寺，途中不知不觉冒出一个奇异的念头。

——阿江，快跑吧！快逃掉吧！

竟然是这样的一个念头。

以阿江的身手，肯定不会被轻易逮到，但说不定跑到哪里时就会被关东忍者杀掉，甚至自杀。

"那样的话，我就无法亲手了断和她的恩怨了！不管怎样，如果不亲手杀了阿江，就没了活下去的意义。快跑吧，阿江！你要一直活到下次跟我碰面！活下去吧！"

这是怎样一种矛盾的心理。背着与助跑向威光寺的迫小四郎想都想不到。

与助对阿江的怨恨就是如此之深，如此之烈。

（小四郎和赤堀兵助好像都忽视了。阿江跌落山崖之后，会不会再跳下对面的悬崖？）

与助趴在山崖下的小路上动弹不得时，突然想到了这个问题，故而努力爬到山崖边向下张望，但又看不出有阿江跳下的痕迹。山崖深不见底，看不清下面的状况，若使劲探身去看，又害怕会掉下去。

与助推测阿江被穷追不舍，跑得一塌糊涂，很可能会那样做。然而，小四郎回来时，与助本该让他再搜搜山崖下方才是，却故意没说。

他们就这样去了威光寺，赤堀兵助一看便知他们同样没寻到阿江。

那之前，迫小四郎和猫田与助看到了慈海和尚房内的池胁藤左遗体，一时大惊。慈海讲了藤左跑来寺里之后心脏病发作而亡的情况，小四郎仔细听着，与助却充耳不闻。

"不，藤左大人……"他爬到遗体前，似乎完全忘了腰痛，唯有一腔悲愤，"藤左大人，睁开眼！求你了！睁开眼看看我呀……快睁开眼……"

他疯了似的抚摸着藤左的脸庞。

第拾叁话

家康就是念着故太阁秀吉的情分，才一直容忍丰臣家如此任性。但丰臣家若再这样任性胡闹下去，又让幕府如何统领天下？

从中山峠走七十五里，便是伏见城下的加藤清正府邸。这时，大坂的使者正急匆匆去往那里。

大坂城下的加藤府邸内有清正老臣饭田觉兵卫留守，浅野幸长的家臣内田弥八郎则留守城内二丸的片桐且元府上，负责保持伏见和大坂之间的联络。

加藤清正闭门不出，成天惴惴不安。家康眼看着就该上洛了，却一直没再派使者来催促丰臣秀赖上洛。若是以前，大坂方面尚会推脱家康之邀，给出一些愚笨却暂时有效的答复，譬如称秀赖病了，暂时无法明确答复。但是，现下的情况变了。大坂城内有天下闻名的饭田、内田二人留守，两人分别来自加藤和浅野这两大豪门。

而且，跟饭田、内田几次交谈之后，丰臣秀赖的家臣、深受淀殿信赖的大野治长亦确信了两家对丰臣氏的赤诚，由此大受感动，渐渐开始支持秀赖上洛。

德川家康犹自低调抓紧准备着上洛之事。

淀殿不堪大野治长的劝说，到底是同意让秀赖上洛了，但这离家康上次相邀都隔了好久——若丰臣家突然宣布上洛，难免显得唐突。

不这样做，淀殿肯定又不会同意。总之，她一定要搞得像是家康苦苦相求，秀赖难以回避，唯有勉强上洛。

（都到这个时候了，竟然……）

清正和幸长无奈苦笑。倘若淀殿的主意再变，大家就真没招了。

淀殿总觉得家康图谋不轨，所以总说秀赖上洛一事让人恼火，简直是丰臣家的耻辱——"德川大人真是要问候的话，直接来大坂不更省事啊！"这里面固然有女人的虚荣和怨恨，但从饭田觉兵卫的信件来看，淀殿最怕的其实是秀赖的性命安危。就是说，这皆跟淀殿的极度恐慌有关。

淀殿知道关原之战前后德川家康的厉害手腕。家康打的主意，别人根本猜都猜不出来。见到上洛的秀赖之后，家康自然会大摆酒宴，难保不会将之毒死……淀殿被这种恐惧深深攫住。

清正总是向大坂的觉兵卫打听大坂城内是否又有变故。觉兵卫称淀殿一直不同意秀赖上洛，认准了会有碍性命，同时又自称跟大野治长保持着密切联系。

治长一直没有动摇。觉兵卫的信中称此人非常可靠。

加藤清正当然明白，淀殿的顾虑不无道理。然而，这般时势之下，倘若总是有所疑虑，自然就只会没完没了，如要避免出现不幸的事，就唯有暂且观望。

清正相信，随着德川家康上洛之日的临近，秀赖肯定会再次收到邀请。而且，家康肯定会把那当成最后一次邀请。须知，家康的孙女千姬正是丰臣秀赖之妻。

如敢恣意妄为……

丰臣家最好表示出对关东的臣服姿态。

家康昔日曾臣服秀赖之父丰臣秀吉，现下却把持了整个天下，其子秀忠更是继承了幕府将军之位。

——无论如何，不允许大坂方面有半点肆意之举！

家康就是念着故太阁秀吉的情分，才一直容忍丰臣家如此任性。但丰臣家若再这样任性胡闹下去，又让幕府如何统领天下？

当然，丰臣家自有丰臣家的想法，大家难分对错。

只是想法固有不同，德川幕府的威势却恒定不变，让大家很难再有何异议。

加藤清正读完觉兵卫的信，立刻打算去一下同是伏见城下的浅野幸长府邸，故而喊来家臣，命之先去问问对方是否方便。

幸长一听，答道："那不如我直接去吧。"

"不，我去比较好。"

清正简单吃了晚饭，便去了幸长府上。他只带了三名随从。

"快请进！"幸长将清正引到里面，问道，"有突发情况？"

"倒是不大特别。又是大坂的淀殿……"

"哎？"

"您且看看。"清正把觉兵卫的信给了幸长，"目前最愁人的就是关东方面的想法喽。"

很难说家康会不会再次邀秀赖上洛。

幸长了解情况之后，笑道："那就没事了，肯定会再次相邀的。"

"你跟我想的一样，但是……"

"肯定会的，大御所可不是傻子。"

"那倒是。"

对加藤清正来说，浅野幸长那自信的笑容不啻是最好的鼓励。

清正得到宽慰，便开始询问幸长之父浅野长政的病情。

幸长坦然答道："最近暖和些了，家父似乎跟着开朗了呢。"

"那真是太好了。这次的事情结束后，我想去和歌山探望他老人家。"

"真的？"

"老早以前就想去探望了。"

"那太感谢您了，家父一定会很高兴的。"

幸长说这话时，双眸中似乎有东西闪烁不定。清正觉得这眼泪是孝道之体现，这固然不错——实际上，幸长当时尚有另一个想法。

（真希望父亲活到清正去和歌山看他……）

他就是想到了这些，眼睛才会湿润。

几日前，浅野长政的病情突然恶化，搞不好这两天内就会突然离去。幸长真想立刻回和歌山看看，怎奈病床上的父亲特意派人捎话，叮嘱他千万别离开伏见，直到这次事情结束。从伏见到和歌山的距离其实不算太远，但长政唯恐会有何突变，硬是不让幸长回去。

是夜，清正和幸长举杯聊到深夜。次日清晨，幸长给父亲去信说清正要到和歌山探望一下，派使者火速送去。

长政读了信，非常高兴。

"见到肥后大人之前，我一定不会死的。我想跟他说的话啊，简直几天几夜都说不完呢……"

似乎是突然得到了一股神奇的力量，长政的病情略微见好。

第拾肆话

这天深夜，奥村弥五兵卫帮助阿江回到小鲋川上游林间的伐木小屋。

阿江疲惫不堪，幸好没有受伤。她面对四个敌人，而且都是忍者，进行一场死斗，不仅没被杀死，甚至都没受伤，这简直不可思议。

竟然逃出来了……倘若没碰到弥五兵卫，肯定会被追上杀掉。

两人藏身山谷之间，直到阿江渐渐恢复了体力，这才壮胆攀登山崖，去了东海道。他们走的是中山峠的山路。

茶馆里那个卖斗笠的年轻人、喝茶的武士都出手相助池胁藤左，而且猫田与助亦从茶馆里跑了出来。阿江这才明白这家茶馆竟是甲贺忍者的忍宿。

接下来，联络者会奔向各地，附近的关东忍宿和忍者小屋将纷纷派人出来，把阿江和弥五兵卫团团困住。所以，二人议定横穿东海道，去那个伐木小屋歇歇。

暗度陈仓，出其不意——这个主意不错。

池胁藤左茶馆里的人相继下了山崖，来到山林中仔细搜查。

弥五兵卫和阿江屏住呼吸，绷紧神经，花了相当长的时间才返回那间小屋。

"阿江，我想咱们等一下绕粟岳北侧逃脱较好，你说呢？"

"就听你的吧。"

"身上痛不痛？"

"不痛了，真没想到会遇上你。"

"我同样非常吃惊……"

"幸好你来了，我才……"阿江垂下头，"捡回条命……"

正待再说点别的，只听弥五兵卫打断道："别说了。"

"但是……"

"我先送你回下久我好了。"

"你陪着我回下久我？"

"你有别的建议？"

"呀，那太好了……"

"但是，送你回去之后，我会再独自行动的。"

"您果然……"

"我的想法是不会变的。"

"弥五兵卫……"

"当前最重要的是突破重围。这小屋很快就会危险了。"

"的确。"

"你有何主意？"

"都听你的。"

之前的混乱中，阿江背上的小包袱被她压了一下。

弥五兵卫摸出随身携带的药丸，递给阿江。阿江则取出离开菊川时老婆婆送的便当，分给弥五兵卫。

那味道呀，真是好得说不出来。四个饭团都是用小米饭加大酱做的，跌落悬崖时摔变了形，味道却犹自很好。

阿江甚至没弄丢那根枇杷木拐杖。

"女人的天性就是这样子呀，弥五兵卫。"

阿江如此一说，弥五兵卫不觉第一次露出笑容。两人似乎重拾了昔日的亲密。

"都是我大意了。"阿江使劲咬咬嘴唇，说道。

"这都是没办法的事，换了我肯定一样……"

"不会的。我都没察觉那茶馆是关东方面的忍宿，真是太大意了。"

"对方的警备好像日益周密了嘛，但这同样是我们的机会。"

"弥五兵卫，你就不想再重新决定一次？"

"不用了。"

"那……弥五兵卫……"

阿江仰视弥五兵卫的眼眸中突然有精光一闪。

弥五兵卫微微一笑："你想说服我听从左卫门佐大人的命令？"

"弥五兵卫，希望你再好好理解一下左卫门佐大人的意思……"

"左卫门佐大人蛰居九度山的日子长了，变懦弱了。"

"放肆！"

"我确确实实就是这样看的。"弥五兵卫傲然说道。

阿江死死盯着弥五兵卫，后者却不看她。径直从包袱中拿出一双新草鞋换上，这才问道："阿江，你是不是打算惩治我了？"

阿江不语，同样拿出了准备好的新草鞋。

"你最好这样做。"

阿江保持沉默。

"最好取了我的命。弥五兵卫是不会被随随便便打败的。但是，你取我性命的地方最好别在这里。不如突破重围以后再说吧。"

阿江只觉得眼前这个男人是那样陌生。

"我们最好联手行动，凭阿江小姐一个人，铁定是逃不出去的，如何？"

这番话当真惹人恼火，但又确实不假。

只听弥五兵卫说道："走吧，快点离开这里吧。"

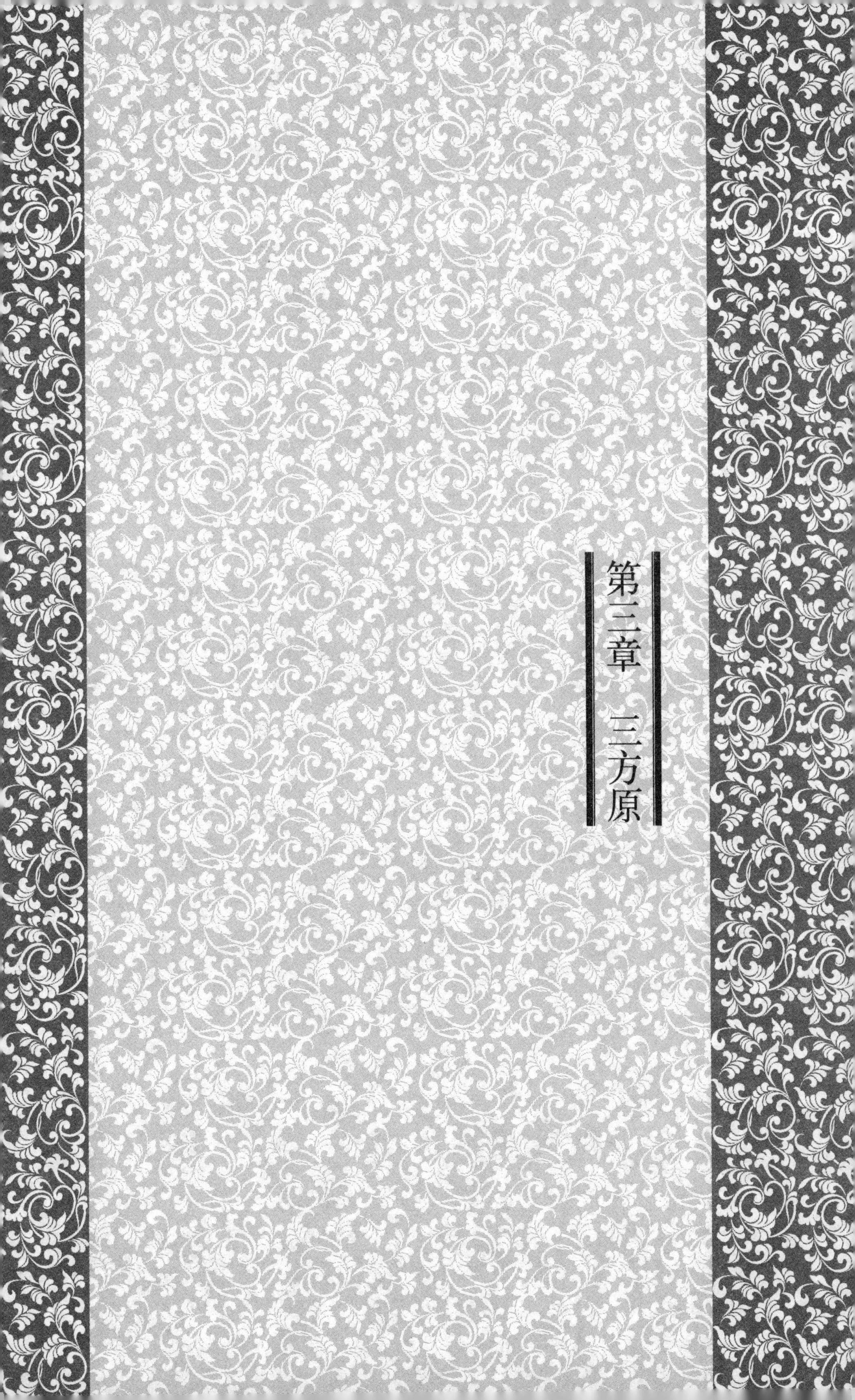

第三章　三方原

第壹话

翌日清晨，太阳犹未升起，粟岳山腹的伐木小屋便有一男一女走出，消失山林之中。两人均是外出打扮。这一消息传到挂川的威光寺时，都是正午以后了。

不用说，这一男一女正是阿江和奥村弥五兵卫。瞧见他们的好像是日坂附近住着的一个猎人。

前几天，十几名关东忍者大举搜索中山峠附近地区，猎人自然听说了此事。

该猎人数日前便来到了粟岳北面的群山和山谷之间。他休息的地方距离阿江和弥五兵卫的小屋不远，而且同样是一宿未眠。他本来打算天亮时回日坂的，结果正好目睹两人离开伐木小屋。

猎人待的地方不是伐木小屋，而是从山腹挖出一个洞穴，用石头围住，又用树枝搭了屋顶。这一带的猎人们经常会准备这样的栖身之所。

"咦？"

猎人看到两人，暗吃一惊。

（这种地方，竟会有人……）

他忍不住躲到树林中偷窥。阿江和弥五兵卫完全没有察觉。

猎人猜他们会沿着河边的小路下山，哪知两人却消失在山林之中，所以更觉奇怪。他去驿站时途经酒馆，便说了这件事，正好被那里的伊贺忍者听到。

（那个女人恐怕就是阿江！）

猫田与助以直觉认定。慈海和尚亦有同感。

"阿江和一个男人同行，说明这附近肯定有别的真田草者！"

他决定第一时间将这消息报知骏府，以求让忍者和搜索队出动帮忙。

赤堀兵助立刻向骏府奔去。从威光寺到骏府大概有十二里地，但赤堀天黑前大概就可以抵达。

"好了，不管怎样，先抓到那两人再说……不，不一定就是两个。千万别大意。"慈海说道。

从日坂前来的伊贺忍者从侧面询问猎人，确定了阿江和弥五兵卫消失的山林在伐木小屋的哪一个方向。威光寺的忍者们立刻出动。

一定要确保联络，增加人手，断掉两个真田草者的后路。

"与助！猫田与助！不在？"

没人回答。

"与助，来一下呀。喂，真不在啊？"

依旧无人回话。

猫田与助一宿未合眼，一直守着池胁藤左的遗体，但听到阿江的消息之后便坐不住了。

腰部的伤痛固然好了些，但犹自无法利落执行任务。

与助是拄着拐杖从威光寺后门离开的。名曰拐杖，其实就是削好的树枝。与助就靠着这个向日坂走去。他想亲自确认一下猎人说的情况。

"与助，不在吗？"

"怎么哪儿都没有？"

"那样的身板能干什么呀。"慈海和尚命令道，"把他找回来。"

"是！"年轻的僧人立刻离寺而去，但到底是没找到与助，约一小时后便回来了，"街上没有。"

"真奇怪。"

"是呀。"

"的确如此。藤左曾说甲贺忍者中再无比他出色之人，虽说年迈，气概却不减当年。"

"怎么办？再去找找？"

"不必了，随他吧。"

此时，数名忍者正奔向挂川北面的山路。而阿江和弥五兵卫则绕着粟岳北面向西走。

再向下走，就有路了，但有了路就会有村庄，需要谨慎留意，以免被人发现。只要无人识破，就是安全的。

他们当然知道关东的搜查网铺天盖地，自身被团团包围。

天空开始放晴。没有道路的山林中，两人绷紧神经，屏息凝神，缓缓前行。

弥五兵卫真可说是施展了浑身解数。

"阿江，晚上别睡觉了。"

"好。"

他们打算黉夜赶路，故决定天黑前轮流小睡片刻。

钻进小竹丛躺下之后，弥五兵卫说道："你先睡吧。"

"那就不客气了。"

阿江闭上眼，立刻睡去。

（该走哪条路呢……）

弥五兵卫凝神寻思此事，借以和睡魔斗争。他觉得沿道路下行去北面山中较好。但是，关东方面的忍者肯定会猜到他的想法。

沿这条路走，太难了。靠近东海道无疑是很危险的。

弥五兵卫从腰间的兽皮袋中拿出一颗梅子大小的药丸。这是往薏苡仁、耳无草等草药中混进山药制成的，是真田草者的随身粮食。他吃下一枚药丸，又喝了些竹水壶中的水，跟着便解下包袱，取出短刀往腰间一系。装有投爪的兽皮袋跟着被拿了出来，放到怀中，用皮绳固定好，以备不时之需。

然而，意想不到的事情总归来了。

阿江的脸庞埋进竹子之间，沉睡得犹如死人。弥五兵卫看着阿江，突然冒出一股无明火。

（阿江真是今非昔比，做的全是些傻事！）

去敌方的忍宿买斗笠、懵懵懂懂走上大街……若是以前的阿江，肯定不会干出这样的事。弥五兵卫暗暗埋怨着。

天色尚不大晚，竹林中却暗得不行了。

奥村弥五兵卫喟然一叹，只觉得先前所做的一切都是徒劳无益。阿江说真田幸村想从千军万马中取下大御所的脑袋——倘不如此，当真就没意义了？

"按照那种说法，像我这样的真田草者若取了大御所的性命，反倒成了真田家的耻辱……"

弥五兵卫甚是懊恼。他近来时不时便无法理解幸村。

关原之战时的弥五兵卫非常虚心，每当故去的壶谷又五郎和阿江对他提出建议时，他总会认真思索、反省。若委实无法理解，亦会坦然说出，然后遵照壶谷又五郎的意思去办。

弥五兵卫总是坚决听从又五郎的指令。他对又五郎和阿江极度信赖，哪知年逾六旬之后竟变得性急和顽固了。

——这样浑浑噩噩、隐姓埋名活下去哪有半点意思？如果不抓住时机做些该做的事，手脚就不灵便了。忍者小屋里窝着的年迈草者根本没用。别人的想法我管不了，但我真不想落到那般田地。

这就是弥五兵卫目前的想法，直接促使他决定瞒着九度山方面偷袭德川家康。

看着阿江的睡脸，弥五兵卫不禁怀疑他是否真会带着这个女的逃掉。

（这女人当时说得那样坚决，为何竟偷偷去了九度山？肯定是跟左卫门佐大人依依惜别去了。这算哪门子事啊……女人就是累赘！女忍者总有些糊涂地方，她们就是摆脱不了天性，才会失败。）

他一时大怒，甚至都开始盘算丢下阿江独自逃走。

他站起身来。阿江犹自甜甜睡着。

弥五兵卫缓缓走向夜幕下的天空。

"阿江，随你便吧！"

他简直觉得当时不救她就好了。

第贰话

阿江醒来时，天色微明。

她以为尚是傍晚，暗想天都亮着，看来是没睡太久，继而抬头看看四周，却不见弥五兵卫的身影。

——啊！

她立刻明白被丢下了。

（真没想到弥五兵卫会做这种事……）

阿江深受打击。

（男人竟如此善变。唉，男忍者就是靠不住呀，竟然……）

阿江呆坐着，紧咬嘴唇，一动不动。

此时，猫田与助来到了阿江和弥五兵卫之前待的那个伐木小屋。

与助不是孤身一人。同来的尚有藤左茶馆的年轻甲贺忍者——迫小四郎。

与助去日坂驿站附近的猎人家中详细询问了当时情况，然后拄着拐杖向中山峠走去，恰好被小四郎看到。小四郎主动要求同行。

　　茶馆目前闭门谢客，只允许从后门进出，完全成了搜捕真田草者的联络点。

　　"不管怎样，我想先去那间小屋，嗅一嗅真田草者的味道。"

　　"好。"

　　小四郎本打算先将与助带回茶馆，治疗一下他腰间的伤。茶馆中有疗效颇佳的甲贺膏药。而且，要跟与助同行的话，自然要回去准备一下。

　　小四郎犹自是之前追阿江时的那身行头。年迈的与助则是一副跟奥村弥五兵卫截然不同的模样。

　　自从小四郎给与助洗脚以后，与助就对这个年轻人颇有好感。

　　两人走进茶馆，不料这里竟是空无一人。

　　小四郎给与助的腰间涂抹上膏药，又让他喝下汤药。

　　"我们休息一下后再动身吧。"

　　"好。"

　　"您先躺会儿吧？"

　　"好，好！"

　　膏药似乎从腰间沁入体内，自腰至腹都挺温暖的，十分舒服。大概这膏药有镇静的功效吧，小四郎做准备工作之际，与助竟然看着看着就睡着了。

　　小四郎仔细备好鞋袜，将忍者用的刀插至腰间，又将甲贺忍者惯用的苦无和充当干粮的药丸带上。

　　两人离开茶馆时天都黑了。但是，忍者根本不会拿走夜路当回事。与助虽然上了年纪，视力有所下降，亦不会觉得特别不便。就这样，他们来到粟岳山腹的伐木小屋。

与助坐下来紧抱双臂，一动不动。阿江和弥五兵卫离开小屋时没留下蛛丝马迹，而且这里没有二人的体味。小四郎屏息望着双目紧闭的与助。

与助冥想的时间太长了。小四郎忍不住唤道："大人……大人……"

"嗯？"

"您哪里不舒服？"

"没有，我只是努力设想我就是他们两人。"

"啊？"

"倘若我是他们的话，我该怎样逃脱？"

他说完便又闭上了眼睛。

关东忍者早就来过这小屋了，现下肯定正全面搜查山林、山路、山村来追捕阿江和弥五兵卫。这些人追上二人之后，活捉也好，取了他们的性命也好，都无所谓。猫田与助寻思的，只是他们追不到二人时的情况。

——如果没追上的话，他们会逃到哪里去呢？

想要成功，就要提早想出办法。

"大人……大人……"

"先别说话。"

"是。"

不久，天空泛白之时，猫田与助睁开了双眼。

"小四郎！"

"是。"

"我的腰依然很痛。"

“唉？”

“脚力也不行喽……你把我的话带给威光寺的方丈大人吧。”

“好。”

“唉，我只好放弃亲手杀掉阿江了。但，但是，不管如何，都要由关东活捉阿江，甚至将她杀掉！”与助紧紧抓住小四郎的肩头，“那个女人啊，不一样是池胁藤左大人的敌人嘛！”

“没错！”小四郎愤然说道。

小屋里那破旧的围炉之中，火苗犹自闪烁。那是小四郎点燃了供与助取暖的。

“好，小四郎，你就别管我了，将我的话牢牢记住，转告给方丈大人。另外，一定要替我杀掉阿江那个臭女人啊！”

“我一定会逮到她的！”

“别这样说！如果只想着捉她，反而会出差错。杀掉她！取她的命！”

“是。”

闻言，与助总算半闭上了眼睛，慢慢开口述说正题。

第叁话

阿江对奥村弥五兵卫彻底死心了——不，是不得不死心了。

所以，她决定靠自身的智慧逃脱。

这决定几乎就是一瞬间形成的。

从粟岳北面向西翻山到达大井川的上流，再沿山路去骏府北面的安倍川上游，从那里踏进甲贺，如此沿中山道一直回到京都。

这显然是冗余的绕路，但阿江毕竟是技艺纯熟的女忍者，跟沿东海道去京都相比，这样走固然费时，地形情况却熟到了家。

以前效命武田家时，她不知几次从甲州摸进东海地方。这一路上就像帮向井佐平次逃出信州高远城时一样，有好几个藏身地点。

虽不知现状如何，但熟悉的道路总归是上上之选。

阿江决定就这样走了。她和弥五兵卫一样将行李整理一番，用竹水壶中的水送下充当粮食的药丸，轻装上阵。

许是大睡了一觉吧，疲劳感基本上都消失了。

"好了！"

阿江恢复了体力。

天空泛起鱼肚白。树林中，小鸟纷纷开始鸣叫。

阿江从竹林中站起，开始沿山腹的斜坡向下走去。如果此时的阿江再醒得稍早一点儿，后面的一切恐怕便会不同。肯定会有哪里不同。

虽说是黎明前的黑暗时分，犹可看清下行的山路。这时——

"阿江小姐……阿江小姐！"

千真万确，树荫下的正是奥村弥五兵卫的声音。

"弥五兵卫？"

"对。"

弥五兵卫从树后面走了出来，一脸苦笑。

"你又回来了？"

"不好意思。"

"我不会原谅你的。"

"生气了呀？"

"你是丢下我独自跑了吧？"

"对。"

"你当初就多余管我。"

"别这样说嘛。"

"现在你又要干什么啊？"

"我重新寻思了一下……"

"你简直是没事找事。"

弥五兵卫将阿江丢下后去了哪里呢？他走在夜路上，突然觉得自己很卑劣懦弱。这种想法挥之不去。

这是怎么回事儿呢？

弥五兵卫不知道自己和阿江离开伐木小屋时被猎人看到了。所以，他认为关东忍者不知道是自己将跌落悬崖的阿江救起来的。因此，敌人只是要找阿江。

阿江处境危险，离开她的弥五兵卫肯定比她安全。倘若关东忍者知道有个男人和阿江同行的话，离开阿江就要另当别论了。

街道上出现弥五兵卫这种商人打扮的人，是司空见惯之事，更何况敌方基本都不认识奥村弥五兵卫。弥五兵卫虽然没想到这些，却知道丢下阿江独自逃脱的成功率明显更高。他把这种想法看成是自身的卑劣懦弱。

"阿江，我陪着你走吧。"

弥五兵卫的腔调变了，变成了昔日的样子。

"还在生气？"

"没有。"

"那我们赶紧走吧。"

"我有话想先问你。"

"哦？"

"你刚才说重新寻思了，是指袭击大御所这件事吗？"

"你说什么呢？"

"嗯？"

"我是不会动摇的。我重新寻思的，是丢下你独自逃跑这件事。"

"唉……"阿江轻轻一叹，脸色和声音都很镇定，只是盯着弥五兵卫的眼神非常冷峻，"那你别管我了。"

"哎？"

“你一个人逃，更容易吧。”阿江低语道，却有一种凛然不可动摇之感，“如果你不服从九度山左卫门佐大人的命令，那就不再是真田家的人了，更不是真田草者。就算我们日后再相遇，也只是陌路人了。就这样吧。”

阿江说这话时，弥五兵卫的眼中充满愤怒。

“如果成了陌路人，那就别觉得是替左卫门佐大人讨个成败，你想取下大御所的脑袋，就只管去吧，随你便了。”

阿江丢下这些话，走出了树荫，沿斜坡下山而去，很快就消失在对面的树林中了。

“哼……”奥村弥五兵卫咬紧牙关，低吼道，“这女人，竟敢这样说！”

他狠狠吐了一口唾沫，花白的眉毛根根倒立。

“好！我就随便做给你看，让你见识见识我的本领！”

弥五兵卫走下山路，向左奔去。

此后不久，远州挂川的隐岐守松平定胜（德川家康的同母异父弟，三万石）派遣的一支队伍便来到这一带进行搜查。

倘若阿江醒得再稍迟一些，肯定会被发现。如此一来，返回的奥村弥五兵卫亦会被对方发现，被逮个正着甚至被取了性命。

阿江和弥五兵卫就这样浑然不觉逃出一劫。

“我就不该回来，我真是做了件蠢事！”

弥五兵卫离开山路走进山林，一直向西走去。眼下虽然躲开了搜查队伍，未来毕竟是不可预测。他当然很清楚这一点。

松平氏派出的其余队伍分头去了各个方向。片刻后，骏府的援军亦将抵达。

家康上洛的日子渐近，威光寺的慈海和尚断定这一带藏匿的不止一两个真田草者。他向骏府坦言了这一想法。

"等着瞧吧！擦亮眼睛看看吧，阿江！"

弥五兵卫以野兽般的速度全神穿梭于树木之间，时而又匍匐草丛之中，越过了山谷河川。此时，阿江横渡了大井川上游的溪谷，正沿河边的山路拼命北上。

大概四小时前，关东的四名忍者向北而来。

猫田与助和迫小四郎去调查粟岳山腹的伐木小屋之前，他们就调查了那里，估计阿江他们会跑向甲斐，所以立刻沿大井川一路搜查。就是说，他们比阿江提前沿同样的方向走上了同一条路，被追捕的阿江反而落到了后面。

阿江知道关东忍者不会察觉不到这条路。一言蔽之，她无法不留痕迹地逃掉。

第肆话

那天夜里，奥村弥五兵卫跑到了太田川上游的山地。

他是从山林中一路向下跑，所以不会像走平地一样。

总之，一定要先逃离粟岳附近。无人行走的山中若出现远游的商人，就算没有阿江同行，关东忍者看到了亦会觉得形迹可疑。

弥五兵卫昨晚基本没睡，现下真有背水一战之感。他不是普通人，而是一名优秀的忍者，纵然一宿不睡，都可以照常执行任务。

年逾六十，体力却一如当初。

（先小睡一会儿好了。）

听着太田川的溪流之响，横卧山林之中，弥五兵卫立刻就睡着了。

当然，他不会完全放松警惕。天尚未亮，他就醒了。

（接下来该怎样逃呢？）

弥五兵卫想抢先回到下久我的忍宿，要比阿江动作快。他隐隐觉得，孤身袭击德川家康似乎不大妥当，不如带上同伴。不管有几个同伴，一个、两个都行，反正是多多益善。

单靠一人之力接近家康是很难的。哪怕只有一个帮手，都可以共同推敲策略。

（中原丈助不错。）

弥五兵卫想好了人选。如果向井佐助肯来帮忙就更好了，可惜他目前去了九度山，弥五兵卫只好断了此念。

阿江回去之前，他会设法说服中原丈助。丈助对奥村弥五兵卫的认同感很强，甚至曾悄悄对他说道："这样默默活下去真不是真田草者的本事，我们不如联手摸进骏府，取了大御所的脑袋。"

（丈助一定会赞同我的。）

倘若阿江被敌人困住、活捉甚至杀害，他肯定会获得更多草者的拥戴。弥五兵卫相信阿江这次肯定逃不掉了，却照旧急着赶路。

（那样一个女人，没准就会突破重围逃回去啊……）

弥五兵卫睡醒之后，吃下充当粮食的药丸，喝了水，走到太田川沿岸。这里距离阿江被发现的地方很远了，从现下开始就该打扮成一个出门商人的样子了。这样的地方出现这样一身打扮，无论谁看见都不会觉得奇怪。弥五兵卫决定沿太田川向下游走，中途西转，然后去距离天龙川河口四里的上游平地。

那是远州浜松城向北约三里的地方。浜松城的对马守水野重央是德川家的谱代家臣，有两万五千石俸禄，深受大御所家康信赖。八年前，家康的第十个儿子赖宣以幼年之身出任常陆国水户城的城主，俸禄二十万石。家康当时选定的辅佐赖宣之人，正是水野重央。重央受命前往水户，以德川家重臣的身份直接干预藩政。关原之战时，三十岁的水野重央曾跟随西上的德川家康出征。

当时的重央是拥有五千五百石俸禄的旗本，是军队的大将之一。

　　德川家康渡长良川的舟桥被阿江袭击时，曾利用影武者逃得一劫。当时的影武者是家康的家臣向坂与兵卫资宣，大部队保着他横渡揖斐川，从神户前往关原。真正的家康则混进先锋军的二十余名骑兵，快马到达赤坂大营。这件事就算家康身边之人都不知晓，水野重央同样以为轿子里的人就是家康本人。影武者家康的队伍快到赤坂时，奥村弥五兵卫率一队真田草者猝然杀出，向坂与兵卫被弥五兵卫的标枪刺中，不幸身亡。重央目睹了影武者向坂之死，事后一度说道："我当时只觉得浑身血液都冻住了……"

　　奥村弥五兵卫壮胆走到水野重央的浜松城附近，而后向右拐去，一路上行至三方原台地，去往浜名湖的北岸。

　　（只要没人认出我就万无一失。）

　　弥五兵卫对去东海道之事胸有成竹，但总归又有些发憷。倘若是跟阿江联手的话，他本打算越过天龙川上游，走山地到达三河的凤来寺附近。德川家康上洛的日子就在眼前，弥五兵卫自然按捺不住焦虑的情绪。去中山峠一带袭击家康一事唯有作罢。人手不足，阿江又在中山峠失了手，他的目标似乎变得更难靠近了。

　　不得不变更之前选定的地点，这不免加深他的焦虑。

　　（那……要换到哪里去才好呢？）

　　弥五兵卫一时茫然。

　　（总之，要早点见到中原丈助才行。）

　　天亮了。奥村弥五兵卫到达天龙川畔之际，正是正午时分。一片无垠的天地面向远州滩延伸开来。村落、房屋、人……春光沐浴下，一切都透出无限生机。

　　弥五兵卫洗了把脸，整理好头发，掸去身上的尘土，整装待发。

第伍话

把全身上下整理一番之后，奥村弥五兵卫突然觉得该买顶斗笠。

抱着阿江跳下中山峠的悬崖时，斗笠碰到树枝，掉了下去。

倘若去附近百姓家讨斗笠的话，难保不会被人怀疑。

反正是出门远游之人，就去浜松城下和路上的茶馆买顶斗笠算了。

弥五兵卫开始攀爬天龙川的堤坝时，忽有近十名男子从浜松方向走来。看到这一幕，弥五兵卫登时一惊，停了下来。

这群男子中有两名是武士，另八人则是手持短矛的足轻。只见那两名武士手持短弓，显然是有备而来。

弥五兵卫一眼便看出他们是浜松水野家的人。

浜松方面果然早就布置好了。而且，附近各地肯定都有警备。

没时间遮住脸了。如果一见他们便扭头走人，反而会惹人生疑。

略一犹豫之后，奥村弥五兵卫决定不遮不掩。

（没关系，不会有人认出我的。）

他深信不疑，坦然向水野家的家臣们迎面走去，脚下丝毫不乱。

对面来的人自然停了下来，死死盯着逐渐靠近的弥五兵卫。

他们先前就得知附近有真田家的忍者，此时突然看到一个商人打扮的人从河畔走向人迹罕至的堤坝，自不免格外注意。

弥五兵卫微微低头从他们面前走过之际，一个武士突然脸色大变。

此人名唤吉田左平次，关原之战时曾随水野重央出阵。德川家康的影武者被真田草者袭击时，他跟重央都在那队伍里面。

当时的混乱虽然难以名状，吉田却一直记着奥村弥五兵卫靠近家康轿子，向影武者向坂与兵卫投去长枪时的狰狞面目。

此时此刻的事情便是如此巧合。

（啊……这不是那个……）

吉田立刻认出了弥五兵卫。

（没错，就是……）

他向同行者点头示意，立刻从箭囊中拔出箭来，搭到弓上。

弥五兵卫似乎察觉了身后的异常。

弥五兵卫微一侧身，恰好看到了拉满弓的吉田左平次，登时暗呼不好，赶紧转身向堤坝右下方（河岸的相反方向）扑去，吉田射出的箭从他头顶上呼啸掠过。

"站住！"

吉田左平次大吼道。手持短枪的足轻们齐齐奋身直追。

弥五兵卫单膝一跪，反手将三个投爪猛掷而出，其中两个"嗖"一下正中追来的两个足轻脸上。

"啊……"

"呀……"

两个足轻的脸上喷出鲜血，一头栽倒。

奥村弥五兵卫猛然一跃，开始逃窜。前面就是茂密的树林。弥五兵卫跳进了树林里面。就是那一瞬间，离开吉田弓弦的那支箭犹如一道闪电，射进了树林。

当时，迫小四郎正跟威光寺的慈海和尚和五名忍者横渡天龙川。

浜松水野家将百余人分成了十来组，分头搜索真田草者的下落。从东海道至浜松城沿途更是周密监控，以防草者逃脱。前往浜松者均要接受检查，整条街弥漫着紧张之感。

渡过天龙川的迫小四郎和那几名忍者听来到附近公干的水野家的人说，他们正忙着追捕一个商人打扮的男子。

"就一个男的？"

"目前只看到一个男的，但是不能大意，别人似乎都躲开了。"

水野家又加派人手彻底搜查天龙川两岸。

（果真如猫田与助大人所言！）

小四郎想到这些，一时甚是雀跃。粟岳山腹的伐木小屋中，猫田与助设身处地揣测阿江他们的逃跑路线时，曾告诉小四郎："肯定是从山中自北向西跑，过了天龙川再逃向浜名湖北岸。"

这一推测没在阿江身上应验，但奥村弥五兵卫果然走了他说的路。

迫小四郎他们离开挂川的威光寺便进了北方群山，边搜索边沿太田川上流西进，继而沿天龙川南下。弥五兵卫被发现时，他们刚到达天龙川的下游。

就是这短短功夫，使得小四郎他们和弥五兵卫失之交臂。之后，从骏河来的那些人皆大致照同样的路线搜索而来。

"听说九度山的真田父子指使二三十名忍者隐藏好了，要待大御所大人上洛时伺机行动呢。"

水野家内充满了这样的流言。

"我们兵分两路如何？"迫小四郎向五名忍者建议道。

"好！"

五名忍者中有两名是甲贺忍者，另三名是伊贺忍者。小四郎决定跟那两名甲贺忍者联手搜查，继而对二人说道："我们别再搜这一带了。水野家派来的人手够数了，如果他们就此抓到真田草者自然再好不过；但我们最好想想万一真田草者突破重围逃了出来，我们该如何是好。"

此二人是伴长信的手下，但论到甲贺忍者的身份则不如迫小四郎。

"一切都听您安排。"

"好，我们走吧。"

小四郎带着他们去了。这三人同穿灰裤，手握短枪，却只有一把稍长些的腰刀。但是，腰间的兽皮袋子里有苦无，而且其中一名甲贺忍者准备了网子。

三人穿树林踏进田间，来到浜松城北一里之地，转向奔往三方原。

大概四十年前的元龟三年，意欲上洛的武田信玄率大军离开甲斐，攻进了东海地方。当时，刚到而立之年的德川家康困守浜松城，不知如何抵挡武田军队的猛攻。和家康结盟的织田信长正忙着平定近江，分身乏术，又无法充分调来援军，情况甚是危急。

家康唯有坚守，武田信玄无法将该城攻陷，便扭头去了浜松城后的三方原。

德川家康眼看着武田军践踏地盘，无法坐视信玄公然踏足三河地区，毅然率一万兵将离开了浜松城，至三方原和留守的三万武田军队激战。

　　那是当年十二月二十二日的事。彼时的家康充满热血，跟现下大不相同。

　　德川军虽然全面溃败，但家康真不愧是超卓的武将，只见他挥动长枪，大喝道："冲啊！冲啊！"他坚持战斗到最后一刻，保证了别人的安然撤退。家康的头盔、甲胄上满是敌军鲜血，又跟同伴走散，哪知他竟只身摆脱了武田军的追击，顺利逃回浜松城内。

　　迫小四郎和那两名甲贺忍者去往三方原台地的路，正跟昔日的武田军如出一辙。

第陆话

三方原是浜松城北的一片开阔台地，大概算得上是高原，南北近三里地，东西近二里地，西部的地势较低，坡度却甚平缓。

而且，那里有浜名湖的湖口，地势十分复杂。

是夜，奥村弥五兵卫来到了三方原的一角。

（竟然跑到这里来了……）

弥五兵卫本人都不知道是如何逃来的了，只是觉得似乎逃出了一劫。

阴暗中藏匿的弥五兵卫疲惫不堪。

虽然暂时逃出了敌人的穷追猛打，却不意味着从此就安全了。前来追击的人从三方原延伸到了浜名湖的北面。

"唉……"

弥五兵卫逃到二俣地区附近的山地时，跟追来的五个敌人展开激战，五人全部死亡，他的侧腹亦受了伤。伤口痛得要命，简直难以忍受。

先前，吉田左平次的第二支箭正好射中弥五兵卫的左腿，他是拔出箭之后逃跑的，直到稍事休息包扎伤口以前，到底是流了大量的血，以致无法早早将敌人甩开。

他暂且躲到了三方原的都田川附近，但前来追赶的敌人甚至都蔓延到了河对岸，这意味着一切努力都将是徒劳。

弥五兵卫只好再次登上三方原的台地，边避开追击者的视线边缓缓后退。

所谓"后退"其实就是一点点接近浜松城。此举无疑是极度危险。

"无所谓了……"

弥五兵卫吃下可以恢复体力和有助于神志清醒的药丸。竹水壶不知落到哪里去了。口含药丸之后，干燥欲裂的喉咙似乎湿润了些。

弥五兵卫用完了所有的投爪，右手握着短刀，左手则拿着拐杖。拐杖是用短刀砍下树枝做成的。

"船！只有船才会帮我逃脱！"

沿西面的河流向下走到河口，肯定会有渔民。有了渔民，就一定会有小船。

弥五兵卫决定抢一只船，西渡浜名湖。

追击者肯定开始疯狂搜索浜名湖北岸了吧。

"利用黑夜……天亮之前快逃吧……"

弥五兵卫的脸上和身上都是他的血和敌人的血，蓬头垢面，衣衫褴褛。

以这副模样，如何回到六十里外的下久我？这个姑且不论。现下的弥五兵卫有没有这样的打算都很难说呢。他根本没力气去想那么远的事了。

弥五兵卫渐渐昏沉的脑袋里只有一件事——靠超人的意志和坚韧的体力，逃出此劫！他强撑着站起身来，拄起拐杖，打算继续赶路。刚要举足前进，忽又悄然蹲下。

某种不祥之感笼罩了他。黑暗中，似乎正有人缓缓向他靠近。

此人正是迫小四郎。

（逮到了，逮到了！）

迫小四郎暗暗狂喜，命两名甲贺忍者绕到弥五兵卫身后，他本人则从正面袭击。如果有机会，小四郎想活捉对方。

小四郎拿着其中一名甲贺忍者的网子，匍匐前进，突然起身向弥五兵卫喝道：“等你好久了！”

这是暗号。那两名甲贺忍者立刻从弥五兵卫身后一跃而出。

一瞬间，弥五兵卫转身将手中拐杖掷向其中一名甲贺忍者。这是不会让人受伤的，但他趁机将短刀插进了对方腹部。

“啊……”

甲贺忍者惨呼着仰面倒地。只见弥五兵卫的短刀骤然从手中滑落，像是在那倒地忍者的身上游泳一般，一下就滑到了另一侧。

“浑蛋！”

另一名甲贺忍者看到眼前这一幕，立刻将手中长枪扎向弥五兵卫腰间。

“啊……”

一矛中的。

弥五兵卫重伤之下，正想爬着逃命，他就像山间野兽那样刨着土急速逃着。

“浑蛋！”

迫小四郎追了上去，撒出手中的网。

虽然是漆黑的夜间，年轻忍者小四郎的眼力却几乎不受影响。

弥五兵卫被结结实实网住，呻吟着满地打滚。越滚，缠得便越牢。

"看，总算抓住了呀！"迫小四郎大喜。

被弥五兵卫刺中的甲贺忍者当场死亡。

"这该死的，竟然……"

适才掷出长矛的甲贺忍者狠狠踢了网中打滚的弥五兵卫一脚。

结果，弥五兵卫突然一动不动了。

"留神！谁知这家伙又会有何花样。"

小四郎提醒道。刚才打滚时，弥五兵卫身上扎的长矛掉了下来，由此不难想见其挣扎是何等强烈。小四郎捡起落地的长矛，轻轻戳了戳对方似乎僵硬了的身体。弥五兵卫动都不动。

又戳了一下，同样没有动静。

片刻之后，迫小四郎和那个甲贺忍者解开了网，只见弥五兵卫的身体蜷得像虾一样。小四郎俯身看了看，不觉嘟囔道："竟然死了。"

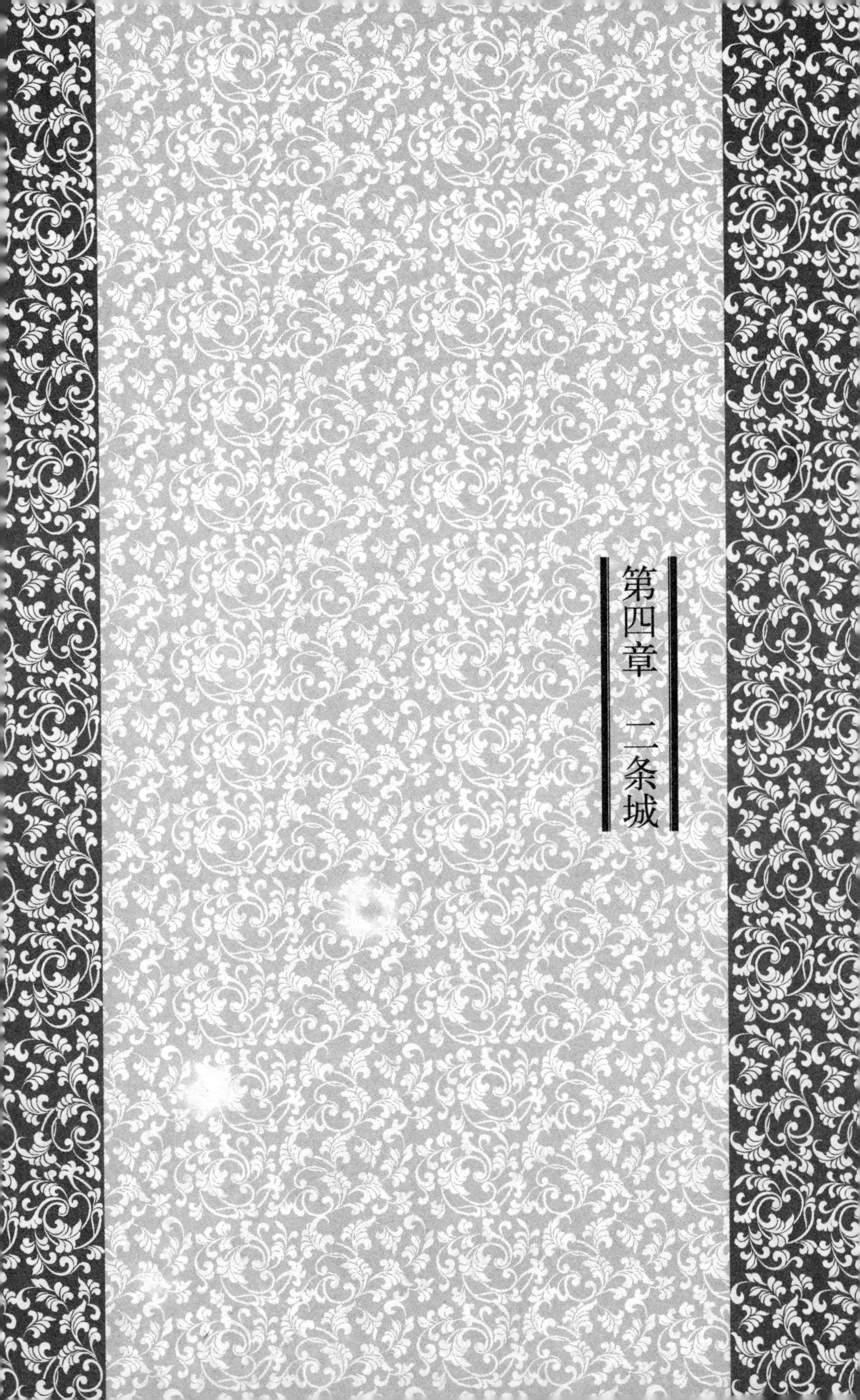
第四章　二条城

第壹话

庆长十六年（1611 年）三月六日，德川家康率五万大军（一说三万）离开骏府，开始了上洛之行。

这一天是西历四月十八日，有的地方樱花都开始凋谢了。

家康让九子德川义直和十子赖宣陪同前往。接班将军德川秀忠留守江户，没有随父同行。德川家康是花甲之年，接任将军的秀忠三十三岁，义直十二岁，赖宣十岁。晚年的家康不仅有正当壮年的将军儿子，更拥有其余九个儿子，这是当年只留下六岁幼子秀赖便撒手人寰的丰臣秀吉比都无法比的。

眼下这一大队人前往京都，似乎就是想让大家看看这个差距。

德川义直现任尾张名古屋城主，封地达六十一万九千石之高。赖宣则管理骏河和远江地区，封地五十万石。这二人无疑是德川幕府未来的支柱。

组织了如此浩大的队伍，想来正是要让天下看清德川家的根基坚若磐石吧。

家康离开骏府城时，没有再派使者去大坂邀请秀赖，搞得大家只好默默留意他的动向。

三月十一日下午，德川家康到达尾张的名古屋城。

该城尚未竣工，却到了最后的收官阶段。这是儿子义直的居城，所以家康特别关注，务求宏伟堂皇。家康一进城便细细查看城之布局，又请来辅佐义直的德川家谱代重臣，方方面面都叮咛一番，甚至指导了义直治理尾张地区的方针政策。

三月十三日，家康到达岐阜。离开骏府前，他就安排京都所司代——伊贺守板仓胜重——先去岐阜等候了。板仓胜重十一日傍晚到达岐阜，只待大御所到来。

家康来到岐阜之后，宣布道："令各大名负责皇城改造，现命板仓伊贺守担任总奉行。"

德川家康是要出席后阳成天皇让位和新帝登基的大典才上洛的。借机公布改造皇城一事，自然是给天皇和朝廷的一份厚礼。而且，这会加强天皇和朝廷对德川幕府的好感。

各地大名都要屈从德川家的淫威，以巨大的人力、物力支持皇城改造。德川家有意借此向天下人显摆威势。

到达岐阜的当夜，德川家康跟板仓胜重相对而坐，密谈甚久。

"伊贺守今年多大了？"

"小人六十六了。"

"嗯，倒是精神矍铄呀。"

板仓胜重苦笑一下。家康的这句话，倒更像是说给他本人听的。家康的须眉几乎全都白了，腰身却兀自挺拔，面色红润，充满生机。

"对了，伊贺守。"

"哎？"

"总是让你这般忙碌，真是对不住呢。"

"您别这样说。"

"总是不得不让你把事情做下去呀。"

"您只管吩咐吧。"

"拜托你了。"

伊贺守胜重是三河国中岛城主板仓氏的族人，年轻时一度遁入佛门，后被家康招纳，出任各地的奉行、代官，大概十年前当上京都町奉行，继而登上"所司代"这一要职。家康极信赖板仓胜重。

十四日清晨，板仓胜重率家臣快马从岐阜返回京都，以便将家康之意告知朝廷，早日展开皇城改造的计划。

就这样，德川家康一路上不断颁布指令，细致部署政治工作——唯独对大坂没有任何举动。

家康的队伍离京都越近，大坂城的氛围就越是紧张异常。得不到家康的上洛邀请，反倒令人不安。这固然是淀殿求之不得之事，却又不免让她神经敏感，时不时便会说道："无论关东那边说什么，我都不会让右府大人上洛的。"

——不安依旧。

随着家康渐近京都，加藤清正和浅野幸长的联络日益密切，和京都高台寺的联系更不敢有丝毫懈怠。高台院决意跟清正、幸长同去大坂，再次劝导淀殿。

三月十七日，德川家康到达京都，进了二条城。二条城堪称德川幕府在京都的官邸。据德川幕府的记载——大纳言广桥兼胜卿、寺中纳言劝修光丰卿和月卿云客、山科等皆来迎接拜谒。

当天，家康又从二条城去了伏见城。

十八日，广桥大纳言和劝修寺中纳言以敕使身份来到伏见城，就天皇让位和登基大典一事，感谢家康不辞辛劳上洛。

"我目前基本上算是隐居了呀。"家康回答时恭谦有礼，"这次只是以江户将军家的代表身份前来。"

他只字不提让秀赖上洛一事。

是日，加藤清正同样来到了伏见城，家康热情接见清正，却根本不提秀赖。

清正一脸忧郁，回到家中，对镰田兵四郎说道："真不知大御所到底是怎样想的……"

第贰话

这一日傍晚时分，伏见府邸内的加藤清正吃着他最中意的厨师梅春做的饭菜，端着酒杯。

距离伏见城半里远的下久我地区，有人叩响了真田草者忍宿的房门。当时，屋里有长期看守这里的权左和中原丈助，另有从夜泣峠小屋前来的宫冢才藏。

阿江和奥村弥五兵卫不辞而别后一直杳无音信，所以才藏近来一直往来于夜泣峠和下久我之间。权左甚至跟宫冢才藏商量将此事报知九度山方面。

"别急，再等等吧。阿江和弥五兵卫都是三思后行之人。"

"可是……"

"再等等。"

劝说别人的才藏似乎也坐立不安，正要说明天就去九度山禀报左卫门佐大人时，有人敲了门。

权左一听之下，断定来人是阿江，登时一跃而起，打开门闩——

"啊！"

他不禁惊呼。只见门口站着一个陌生的男人。

男人微微一笑，说道："是我。"

"阿江？"

真的是阿江。她女扮男装了。

见阿江无精打采地走进土间，丈助和才藏都甚是惊愕，对望一眼。权左观察了一番外面的动静，关上了门。

阿江满身尘土，一副寻常百姓的装扮，戴着顶破斗笠，挂着去菊川附近百姓家借宿时老婆婆送的那根枇杷木拐杖。

权左看着眼前的阿江，只觉得她比离开时瘦了足足一半。

阿江确实是疲惫不堪，颇见消瘦，一下子倒在了炉旁。

"你去哪了？"

"出事了？"

才藏和丈助同时问道。

阿江摘下破斗笠，只说了一句："水……"她慢慢喝下丈助用大碗端来的水，环视屋内之后，又嘟囔道，"弥五兵卫没回来？"

闻言，宫冢才藏问道："你们没一起走啊？"

阿江不答，只是喊道："权左。"

"是。"

"去给我烧些热水……我想洗洗澡。"

"是。"

"阿江……"才藏凑上前来。

"我被追杀了。"

"被追杀？"

“被关东的人……”

“地点呢？”

“以后再说。我只想睡觉，全身骨头都像散架了一样。”

阿江剪掉了浓密的黑发，把剩下的头发随意束到脑后，无论怎么看都像个男人。而她饱经风吹日晒、布满灰尘的消瘦脸庞则有若幽灵。

许是回到了自家的忍宿吧，阿江安然靠着火炉躺下，立刻沉沉睡去。

醒来时，犹自躺在火炉旁。她察觉有阳光从窗缝照进，立刻坐起，只见权左正从土间那边望着她，忧心忡忡。

“几时啦？”

“午后了。”

“午后？”

“是的。”

“真是睡了个好觉。”

阿江的脸似乎有点血色了。

“阿江小姐。洗澡水备好了。”

“谢谢。”阿江说着，眉头微微一皱，“真臭……真臭呀。”十分不好意思地低下了头。

阿江身上有一股近乎野兽的体味。

“才藏大人和丈助呢？”

“他们去夜泣峠和彦根了。”

好像是回各自的忍宿报告阿江归来的消息去了。

“我离开的这段时间，真是让大家担心了。”

"都过去了……阿江小姐，弥五兵卫呢？"

"唉……"阿江闭上眼睛，须臾说道，"没准不会再回来了。"

"啊？"

"真是没办法呀。"

"到底怎么回事？"

"弥五兵卫……我想说服他，但他死活不听……"

"什么？我不懂您的话。"

"不是三言两语说得清的。麻烦你帮我洗个澡吧。"

"好的。"

经由权左帮手，阿江来到土间里面的炉旁擦拭身体。看着水雾笼罩中的阿江裸体，权左真有陌生之感。

她确实大见消瘦。

阿江将身体浸泡在大浴盆中，权左开始用竹片擦拭阿江的后背，擦去她身上的污垢。

"权左……"

"嗯？"

"总是有污垢出现，这真是很有意思。"

"是呀。"

"要是一次把污垢全部清除，反而觉得不适。看来真要适可而止呀……"

"是呀。"

阿江的肩膀、手腕和腹部没有刀伤，却有不计其数的大小擦伤。

这是怎么逃回来的，又跑了多少地方……权左暗暗寻思着。

只听阿江叹道："我以为见不到权左了呢"。

“您碰上了大麻烦了？”

“从远江的中山峠跑到甲斐，又逃到……”

“竟然跑到了那些地方啊？”

“躲着追击者，东躲西藏，跨过安倍峠竟然花了三天时间。”

“和弥五兵卫一同？”

“我们半路就分开了。”

权左很想知道两个人出去干什么，但他清楚阿江若不想说，问也白搭。

洗澡期间，阿江总是心不在焉。换了三四锅水后，她洗好了身体和头发，然后回到房间，躺在床上。

肚子里空空的，却没有食欲。

权左问道：“我去给您煮粥喝吧？”

“不了，端汤药来吧。”

“好。”

“我想先睡一觉再喝粥。”

“好的。”

阿江喝下权左端来的热乎乎的汤药，闭上眼睛。

奥村弥五兵卫就算活着，此时也未必能回到下久我。

然而，第六感告诉阿江——弥五兵卫死了。

他肯定是被关东的人逮到了，杀了。

第叁话

加藤府邸和浅野府邸都做好了应对突发事件的准备。清正和幸长进行了种种设想，而且一一敲定对策。

三月十九日。

滞留伏见的主计头加藤清正成天闭门不出，苦思冥想。

——德川家康为何就不来邀丰臣秀赖上洛呢？

二十七日就会举行天皇让位暨新帝登基的大典，难道家康打算等大典结束一两天再喊他上洛？距离大典只剩十天了，却不见家康有让秀赖上洛的意思，莫非他不想让秀赖去了？

要不然，就是家康有意拖延。

难道他打算拖到大典之日迫在眉睫，再说一句"希望明日上洛"这样的话？那样的话，大坂方面肯定会狼狈不堪，淀殿更会不安、惶恐，意见自然就更难统一。而且，伏见的加藤清正、浅野幸长和京都的高台院将不再有去大坂统一大家意见的时间。

（搞不好……）

搞不好，这正是德川家康的用意。如此一想，加藤清正不免有些担忧。家康没准就盼着大坂方面的意见难以统一，导致秀赖无法上洛。

（大御所不该是这样的人呀……）

清正暗自盘算片刻，到底是坚信家康会邀秀赖上洛。他决定跟高台院和浅野幸长联手推动这件事。但是，家康的不动声色确实很怪。

（谁知道未来的结果啊……）

十九日傍晚，厨师片山梅春精心备好膳食，清正端好酒杯。是他最爱吃的煎酒调制的、切成薄片的章鱼和烤野鸡，还有鲷鱼。清正平时的膳食可没这么奢侈。只是梅春听家臣们说大人的脸色不太好，才特意将晚饭做得花样多些，以求清正精神振奋。

"把梅春喊来。"

清正吩咐侍童。看到色彩鲜艳的食物，他似乎放松了些。

片山梅春整好衣衫，来到清正面前。

"梅春，饭菜的味道真是好极了。"清正说道，"如此精心给我准备食物，我真是太高兴了。"

"哪里，哪里。"

"过来。"

"啊？"

"离我近点。"

"是。"

清正递给梅春一个酒杯。

片山梅春当时大概六十五岁，是一个身材矮小、瘦弱的光头老人；眼睛很小，不仔细看都察觉不到；鼻子端正；嘴型看上去似乎永远在微笑。他是一位沉默寡言的老人，在主厨房指挥那些厨师时声音也很小，有时甚至都听不到他的指挥。

他以前是侍奉增田长盛的。

　　太阁秀吉去世后，增田长盛的处境十分艰难，关原之战时又被迫投向石田三成的西军，败北后受到德川家康处罚，眼下栖身武州岩槻，靠城主高力清长的救济度日。高力清长深受家康信赖，性格宽厚，有"菩萨高力"之称。他不仅热心照顾增田长盛，而且劝家康让长盛之子盛次前去任职。

　　德川家康见到增田盛次后，说道："将来必有作为。"派他去了尾张名古屋的德川义直那里。这些且按下不表。却说增田家被"收拾"一番之后，早就听闻增田家厨师片山梅春大名的加藤清正立刻派人去询问梅春，想不想来加藤家帮忙。梅春当时正不知何去何从，自是欣然接受。增田长盛得知后，特意给加藤清正来信称："片山梅春是昔日皇宫内的御厨，笃实敦厚，希望您多多关照他啊。"

　　一个厨师本来不值得长盛拟信，但他确实爱煞了梅春的人品和超高厨艺。如今，片山梅春被赐予伏见府邸主厨房和走廊之间的两室小屋。加藤清正回了熊本城之后，他就会到一个三室小屋内生活。

　　以前，清正曾问道："梅春，你没有亲人吗？有的话，尽管接来。"

　　当时，梅春答道："妻子和孩子都死了。"

　　"是这样呀？"

　　"一个人生活也挺不错的。"

　　梅春曾提到他有限的几个亲戚都上了年纪，全死光了。

　　不久，梅春就从清正跟前退下了。他刚从走廊走到主厨房附近，就有一个人从左边的侧廊走来，问道："主计头大人心情好些了吗？"

　　梅春抬头一看，是饭田觉兵卫的家臣——伴野久右卫门。

　　如前所述，头清正的重臣饭田觉兵卫目前留守大坂的加藤府邸，以保持和大坂城内的紧密联系。昨天，伴野久右卫门拿着饭田觉兵卫的信函，来到了伏见府邸。从信的内容中，不难看出饭田觉兵卫有些彷徨。

清正对伴野说道：“我下指示之前，你先别离开伏见。”

伴野擅长马术，是急使的优良人选。此人身材又矮又瘦，听说有五十二三了，但只要是当骑马特使，如何繁重的工作都没问题。他和片山梅春一样沉默寡言，深受饭田觉兵卫信赖。

“怎么样，看上去有没有好一些啊？”伴野问道。

“这……好像没有……”梅春回答得很简单。

“是吗？”

“是的。”

“大人喝酒了吗？”

“喝了。”

“哦，这样的话……”

伴野一副放下心来的表情。他知道，只要清正端起酒杯，就表明心情多少有所好转。

“耽误您了，真是抱歉。”

“没什么。”

两人就此道别。府邸内十分安静，却弥漫着某种紧张感。

加藤府邸和浅野府邸都做好了应对突发事件的准备。清正和幸长进行了种种设想，而且一一敲定对策。京都的高台院更做好了随时去大坂城的准备。

片山梅春返回主厨房，对手下一个厨师说道：“要不再给大人做份宇治丸吧？”

这是一种将稍稍腌制的鳗鱼切碎，再放在曲种中腌制的食物。

第肆话

二十日清晨，伏见城的德川家康总算派使者去丰臣秀赖那里催促上洛了。

"久未谋面，却时常听闻您长大成人后的事情，甚感欣喜。借此次上洛之机，一定要让我见见您呀。"

加藤清正午后便得知了这件事。

"太好了！"

清正立刻精神抖擞，提笔给大坂的饭田觉兵卫写了封信，交与伴野久右卫门，让他快马送去。伴野立刻上马向大坂疾驰而去。

然后，清正又喊来家臣镰田兵四郎，吩咐道："按计划行事。"

镰田立刻带着早就选好的二十名骑兵离开府邸，去京都的高台寺禀告家康再次约秀赖上洛一事。高台院喜道："好极了！"很快就做好了出发准备。高台院一直和伏见的清正、幸长保持联系，早就做好了随时动身的准备。她带上十余名随从，由镰田等二十一人陪同，深夜时分到达伏见的肥后府邸。

期间，加藤清正备好了送高台院去大坂的船。

"主计头大人，很快就能到大坂吧？"

"是的。"

"这一次，无论如何都要……"

"那是自然。"

高台院和清正说了近半个时辰，就匆匆上船走了，依旧由镰田兵四郎指挥一队人马负责安全。加藤清正目送他们离开，便带上三十名骑兵由伏见奔向大坂。没准他会比高台院抢先到大坂呢。这之后不久，伏见浅野家的大门也打开了，幸长率三十余名骑兵奔向大坂。

高台院、清正、幸长，这三人现下绝对是共进退了。

第二天清晨。加藤清正先到了大坂城，然后便是浅野幸长和突然出现的高台院，让大坂方面目瞪口呆。

饭田觉兵卫早就读了伴野久右卫门送来的清正之信，联络好了暂住二丸片桐且元府上的幸长家臣——内田弥八郎，共同采取行动。

接到家康的上洛邀请后，大坂的紧张感臻至顶点。淀殿打算再次以秀赖生病为由推脱。恰是这时，清正他们到了。

此事先前全无征兆，淀殿势难避而不见。而且，丰臣秀赖经由内田弥八郎知道了清正他们正火速前来大坂，便吩咐将饭田觉兵卫召来，命两人不离左右。这样一来，淀殿就没办法鼓动秀赖不见清正。更何况，高台院都来了。

淀殿只得同意大家会面。

会面在主殿大厅举行，片桐且元和大野治长列席。德川家康的孙女，现任将军秀忠之女，丰臣秀赖的妻子千姬没收到邀请——淀殿给出的理由是"没做好准备"。但是，淀殿对昔日的太阁夫人高台院总归比较谨慎，让她坐了上首。

高台院开门见山，直言这次若再不放秀赖上洛，恐怕关东方面不会善罢甘休。淀殿垂首默然，一句话都不说。其实，她当然明白高台院的意思。

明白，却不免忧虑。

倘若秀赖上洛，真不知家康会下怎样的黑手……

这种恐惧挥之不去。

高台院淡然劝道："毕竟是天皇让位暨新帝登基的重要时期，一旦和关东方面有了争执，该如何是好？"

此言一出，淀殿登时没了反驳余地，但她就是不说同意。

然而，确实寻不出拒绝的理由了。

见状，加藤清正插口了。

"确实难以抉择。"他肃然凝视淀殿，说道，"臣希望您好好想想高台院夫人所言。想想丰臣家一直以来的荣耀，千万别草率行事。"

淀殿瞪着清正，满脸憎恶之意。这时，丰臣秀赖第一次开口说话。

"主计头所言极是。"

淀殿面色苍白，立刻将头转向话音落定的秀赖，开口欲言，却见加藤清正上前一步，毅然说道："右府大人万勿忧虑。您面前的主计头和左京太夫一定会舍身捍卫您的安全。"

"不错，请您听我们一言。"

清正和幸长轮流说话，将二人将如何保护上洛的秀赖一事，详细而又入情入理地说了一番。淀殿渐渐不抵制此事了。

"这样的话，就没什么好担心的了。"

淀殿好像总算是听明白了。

此时，伏见的德川家康派遣的第二队使者也已到达，捎来了这一番话："此次无论如何都希望秀赖大人上洛，倘若令堂有何不舍，可以将我的儿子义直和赖宣送到大坂。"

送往大坂，就意味着上洛的秀赖回大坂城之前，将一直充当人质留下。

就欠"你们一定要这样做"这句话了。

虽然没说这句话，但家康此举无疑是要让淀殿彻底放心。

"那……好吧。"

淀殿最终答应了秀赖上洛一事。高台院、清正、幸长，包括片桐且元的脸上都露出了微笑。

第伍话

德川家康捎话说会将义直和赖宣送到大坂，秀赖答复道："不用如此安排了，我会上洛的。"

见到德川家康率大军上洛，京坂两地的百姓纷纷传言"关东和大坂好像又要有纷争了"、"要开战了"、"恐怕真要开战了"之类。又有些百姓像上次那样举家逃跑。

不管家康说的是外交辞令还是有意揶揄大坂方面，他总归是提出要将两个儿子当人质。加藤清正由此深信家康是盼望右府大人上洛，不希望战火重燃。

"圆满解决。"

"是呀。"

清正和幸长欣然对望。

而后，加藤清正对饭田觉兵卫说道："现下，要让你去伏见听命喽。"让他先去了伏见府邸。

清正和浅野幸长暂留大坂。

二十七日，天皇让位的大典便将举行，德川家康父子估计都会出席。丰臣秀赖拟定那一天离开大坂，下榻生母昔日住的淀城，二十八日抵达京都的二条城和德川家康会面。之后的事情就只有清正和幸长才知道了，暂不公布。

然而，高台院从大坂回到京都不久，下久我的真田草者就知悉了秀赖将要上洛一事——草者小助目前是高台寺的一个下人，而且五六天就跟中原丈助联系一次。当时尚不到丈助前来的日子，小助便黑夜翻墙跑出，去下久我报告情况。

权左给他开了门。一进屋，小助便目瞪口呆。

土间对面的板间内，宫冢才藏、中原丈助和彦根城下忍宿的横泽与七老人竟然全都来了，将阿江团团围住。

"这……大家都在啊……"

小助忍不住道。直觉告诉他，肯定出事了。

"小助，高台院从大坂回来了？"

高台院去大坂前的一个深夜，中原丈助曾和小助联系。当时，小助说高台院打算明晚动身。

阿江问道："右府大人上洛的事情如何？"

"决定了。"

"真的？"

"是。"

"这样呀。"

阿江点点头，看着与七、才藏他们。秀赖上洛，就意味着大坂和关东之间将会维持和平。双方的和平，意味着九度山的真田父子将会寂然死去，更意味着真田草者将会悄然消亡。

“真遗憾啊……”

小助喃喃道，大概是难以抑制这种想法吧。

“喂。”阿江劝道，“来休息一下吧。”

“不了……不行呀。不快点回去的话，难保又有新的情况呢。”

“那倒是。”

“所以，告辞啦。”

中原丈助送小助出去时，小助似乎难以自制，又一次说道：“真遗憾啊……”

丈助使劲咬着嘴唇，寻思要不要把奥村弥五兵卫下落不明之事告诉小助——阿江没说可以告诉小助。他又想到弥五兵卫生死不明，一旦这就告诉小助，说不定会使其动摇，便改了主意。

“小助，我觉得关东和大坂不会就这样和平下去。”

“哎？”

“这只是我个人的想法，但我总觉得很快就会有战争了。”

“真的？”

“对。”

这只是中原丈助的直觉，但确实无法反驳。

“总之，一定要谨慎行事，靠你了啊。”

“你之前说……”

“好了，快走吧，我会经常偷偷去你那里的。”

“好吧。”

黑暗中，小助消失了。丈助回到屋内，阿江等人都闷闷不语。

阿江把横泽与七从彦根喊来，将一切都说了。

与七叹道：“真没想到弥五兵卫会……”

横泽与七是向井佐助之母茂枝的叔父，年逾古稀，却跟十年前如出一辙。他目前是彦根城下一个钱庄的老板，有七个手下（全是草者），主要从事各种钱币的交换及兑换，一心赚钱支撑草者活动。

"弥五兵卫竟会违背左卫门佐大人……"与七盯着阿江，问道，"阿江小姐为何一直不告诉我们这个计划？"

"不是不想告诉，而是想在弥五兵卫探知东海道的情况之后再说。"

"如果以后再有这样的事，我们就很难办了。"

"是。"

阿江的样子似乎很奇怪。

（对这次的事情，我一定要反省……）

见状，与七说道："我们明白阿江的意思。"

就让一切顺其自然吧。但是，没有目睹奥村弥五兵卫不听阿江劝说时的表情，是很难理解阿江的。

德川家康安然经东海道上洛了。他肯定戒备周密。关东忍者全体出动，随时注意队列的前后状况，就算弥五兵卫活着，都没机会出手。

阿江对弥五兵卫不抱任何希望了。翻山越岭跑到甲州的阿江不知遇到多少危险，所以她完全不信沿东海道逃跑的弥五兵卫会甩掉众多忍者的围追堵截。

"总之，先将此事禀报九度山吧？"

"与七大人，明天我去吧。"

"那好，阿江，就由你亲自去吧。"

"是。"

阿江尚未恢复体力，食欲却恢复了。这样的话，肯定去得了九度山。

　　"无论如何，"横泽与七环视阿江等人，叮嘱道，"我们都是给九度山的老爷和左卫门佐大人效命的，都别忘了这一点啊。"

　　横泽与七是真田草者中的元老，就连故去的壶谷又五郎都要高看他一眼。阿江敬重他的人品，所以才会表现出极罕见的乖顺。

　　"权左，拿酒来。"与七吩咐道，酒一上来，他亲自给四人斟酒，说道，"权左也喝点吧。"

　　"干！"大家齐齐举杯，"我们要团结，无论何时都要团结！"

第陆话

　　庆长十六年三月二十七日，天皇的让位大典如期举行。四月十二日会再进行新帝后水尾天皇的登基大典。

　　二十七日上午，丰臣秀赖的队伍离开大坂，前往淀城。片桐且元、大野治长陪同前往。加藤清正和浅野幸长守卫秀赖两侧，各自拿着一根粗粗的青竹杖。

　　从大坂到淀城全程乘船。

　　所有人都看得清清楚楚，清正和幸长确实是全心全意保护秀赖。

　　父亲秀吉去世后，七岁的秀赖从伏见城迁到大坂城。十二年来，这是第一次踏出大坂城的城门。他从船中好奇地环视周围一切。

　　"那山是什么山？那河呢？"

　　他向清正和幸长问个不停。清正在右，幸长在左，流利回答着秀赖之问。秀赖的双眸熠熠生辉，清秀的脸庞更显红润。这不难理解。从七岁到十九岁的今天，他从未踏出大坂城半步。看到渲染满山的红花嫩叶，他自然会吃惊得睁大眼睛。

　　加藤清正离开大坂之前，曾派使者去见返回伏见的饭田觉兵卫，捎话道："秀赖大人上洛和大御所成功会面后，我想摆个庆祝宴，麻烦你提前准备。"

　　是夜，秀赖下榻父亲秀吉给淀殿建造的淀城之中。

　　淀城现下只剩下了石墙垣，却犹自有一种优美之感。

　　以女性之身拥有城的，历史上只有淀殿一人。秀吉就是如此宠她。而且，城的名字都是"淀"字。

　　再说大御所德川家康出席皇宫的典礼后，没有回伏见城，而是直接下榻京都的二条城。

　　三月二十八日，丰臣秀赖离开淀城，走陆路去了京都。

　　从淀城到二条城大概有三里半。

　　这一天，右大臣秀赖乘着四面全部打开的轿子，两侧依旧是手持青竹杖的清正和幸长。只见那两人紧靠秀赖，几乎都能碰到他的衣袖。

　　途经伏见城下时，秀赖从楼台上看着幼时生活的伏见，非常怀念。

　　跟大御所德川家康会面是丰臣家的大事，大坂城内的淀殿肯定正忐忑祈祷秀赖平安无事呢。

　　清正和幸长固然信任大御所家康，却不足以消除前途莫测的不安之感。所以，这两人不敢有半点疏忽大意，只好时刻守着丰臣秀赖。纵是昨晚留宿淀城，清正和幸长都并肩睡在秀赖卧室的侧房。

　　然而，从离开大坂城开始，秀赖的脸上便不见半点紧张之态。那副快乐的表情，倒更像是去郊游之类，非常放松。

　　轿子两侧的清正和幸长对视一眼。

　　清正的眼神似乎是说："右府大人真是可以期待呀。"

　　幸长使劲点了点头。

秀赖一到京都，便去了片桐且元的府邸，整理衣装。

这之前，京都的高台院刚好动身前来二条城。

丰臣秀赖很快便出了片桐府邸，去往二条城。沿途聚满人群，大家相继欢呼，喜迎秀赖。

秀赖肯上洛，就意味着大坂和关东和解，这样就不会有战争了！

大家充满喜悦之余，更亲眼看到了轿子中的丰臣秀赖那年轻、威武的堂堂仪表，纷纷说道——

"这就是太阁大人的儿子？"

"真是威武英俊！"

大家都是深表惊讶。十二年来，秀赖从未出过大坂城，京坂两地的人都没见过他的面容和身姿。

太阁秀吉身材瘦小，相貌更曾被织田信长赠以"猴子"、"秃鼠"之类昵称，大家不难想知他的尊容。看看现存的那些秀吉画像，便会明白信长不是胡说。

丰臣秀吉征战四方，又总要出席一些庆典活动，经常率部队上街，所以围观群众大抵对故太阁的相貌有些印象。见秀赖如此俊美硬朗，真不像当年的太阁秀吉，众人皆甚意外，忍不住开始喝彩。更何况，秀赖两侧尚有威风凛凛的加藤清正和浅野幸长，所有人看得如痴如醉。

京坂两地，丰臣家的声望如故。大家固然知道天下将由德川幕府统治，却总觉得德川家只负责管理关东，京坂兀自是丰臣家地盘。从大家对秀赖的欢迎程度来看，此言当真不虚。

第柒话

有人记载了当时的欢迎盛况："秀赖公到达二条城，大御所和老中出来迎接，城门前和庭院中都是聚满了人，男女老少、贫富贵贱悉数向秀赖公行礼，流着眼泪高呼……"

人们的那种喜悦，不难窥见一斑——关东跟大坂和解，战争就此消除。

秀赖的轿子快要抵达二条城时，群众同时欢呼，兴奋得简直不同寻常。正门前的德川家重臣们脸上登时阴晴不定，他们当真没料到群众会如此热烈欢迎秀赖。面对大家的欢呼，轿中的秀赖大大方方点头，就这样进了正门。德川家康特意到正门口迎接秀赖，自然听到了群众的欢呼。他面无表情，木然等着秀赖。

轿子由清正和幸长陪伴两侧，进了二条城。

晚春时节的天空有些多云，时而又会阳光普照。

德川家康看到从轿中走出的丰臣秀赖那魁梧的体魄，十九岁的充满朝气的秀气脸庞，不觉暗暗叹道："这便是秀赖？"

他看着秀赖，不带任何个人的情感，只是无比感叹。据说男孩子都会遗传母亲的体质和容貌，家康很清楚淀殿的美貌和丰满。纵然如此，总归是太英俊了……此时的秀赖，身高竟达到六尺二寸。

"欢迎，欢迎！"

家康满面笑容，率先开口，主动伸双手握住秀赖的右手，握了再握。德川家康当众表现得如此友善，真是罕见之至。秀赖恭敬问候家康，话音清脆有礼，言谈甚有分寸，搞得倒像家康有意讨好秀赖。

二条城内备好了宴席。高台院受到了家康的邀请，亦会出席。家康借邀请高台院之举，表明自身全无加害秀赖之意，只是要让宴会顺利举行罢了。

这一日，丰臣秀赖送给德川家康的礼品如下：

真盛长刀

金钱三百枚

黑马

绯红色毛织品三匹

绸缎三十卷

左文字短刀

（其余）

另赠德川义直光忠大刀，赠赖宣守家大刀，且给家康爱妾和各位重臣分别备礼，从鹰匠头到裁缝，从医师到厨师，均有打赏。

家康回赠秀赖左文字大刀、吉光短刀、三只鹰和十匹马，另赠清正、幸长大刀，也给片桐且元、大野治长备了礼物。

　　酒宴开始了。双方重臣皆被安排到外间，只有加藤清正一人不离秀赖身畔。德川家的记载称清正没有入席，而是一直站在秀赖身畔。

　　当时，清正对幸长点了点头，说道："我留下。"

　　见清正一直守着秀赖，家康那笑容洋溢的脸上微露不快。

　　清正就是清正，虽然被德川家康和关东诸将注视，却一动不动。

　　——我就是丰臣家的柱石。

　　他就是这样的态度，无所畏惧，堂堂正正。

　　三献礼仪结束不久，清正对秀赖说道："大坂的主母恐怕等急了。"

　　嗓门很低，却足以让家康清楚听见。

　　秀赖点点头，清正立刻提议道："那我们就告辞吧？"

　　"好。"

　　"是呀，头等大事就是不让您母亲担心嘛。"

　　见秀赖再次点头，家康忍不住如此挖苦。秀赖只报以微微一笑。见状，家康立刻恢复了一副笑脸，但眼睛里分明没有半点笑意。

　　会面就此结束，家康和秀赖到底是没有融洽对饮、交谈。

　　二条城内，人人均是异常紧张，只有秀赖一人悠然自得，神情和态度都瞧不出有何紧张。这一点，给每个人都留下了深刻印象。

　　德川家康想将秀赖送到大门口，秀赖婉言谢绝，但家康坚称岂有不送之理，硬是将他送到了大门口的路上。

　　突然，家康说道："正好，就借这个机会……"

　　他劝秀赖去丰国神社祭拜一下太阁秀吉。

　　"那真是谢谢您啦。"

　　秀赖欣然接受了家康的建议。秀赖率众人离开后，高台院的队伍跟着出了二条城。秀赖的队伍从二条城去了高台寺。他们离开二条城时，群众又是一阵热烈欢呼。大家都明白秀赖安然完成了会面。

秀赖去丰国神社祭祖之前，要先去高台院那里休息一下。跟着秀赖回去的高台院和加藤清正、浅野幸长、片桐且元、大野治长这些丰臣氏的家臣的脸上，总算都露出了会心微笑。

恰是这时，主计头清正提议道："不如去伏见的寒舍看看？"

丰臣秀赖本打算祭祖后再去淀城住一宿，然后就回大坂，听清正一说，登时大喜问道："当真？那真是太好了！"

"您真想去？"

"那当然了。"

秀赖几乎没出过大坂城，对他来说，此次上洛耳闻目睹的一切都是新鲜的，正兴奋得不行。这种天真无邪的解放感和喜悦感，纵然是跟家康会面时，都让他处于一种从容不迫的状态。

只听秀赖欢然说道："那样的话，我就去主计头府上住一宿吧？"

"这、这好像不太合适……"清正苦笑道，"我们担当不了呀。"

"没关系的。"

"但是，您的船都调到伏见了……"

"这样呀？"秀赖似乎很遗憾。

"接下来，我想请右府大人看看熊本城。"

"主计头，真的？"

"是的。"

"这样都行？"

"世道太平了，我想是没问题的。"

"我太想去看看主计头的城了！"

"我们很期待您的光临。"

"嗯，嗯！"

清正立刻命使者去通知伏见府邸：右府大人很快便到。

第捌话

伏见肥后府邸的老臣饭田觉兵卫早就得到了加藤清正的通知，一大早便让淀城码头停泊的秀赖乘船去了伏见。船开进了肥后府邸西侧的河川，而且备好了精美的飨宴。围着秀赖的船，河两岸至肥后的桥上都围起竹篱，又立好了密不透风的金屏风。

加藤家上下都知道右府大人大功告成，忙着准备庆功宴。

清正为何不回府招待秀赖呢？为何选择河上漂着的船来摆庆功宴呢？

他奉上酒肴的时机，是秀赖从二条城回大坂的途中，去伏见的肥后府邸稍事休息之际——他就是想表明这一点。而且，天色尚早的初夏午后，明亮的河面上举办的这场庆功宴，谁都看得清清楚楚。此举无疑是不想被天下人（尤其是关东方面）误解，甚至刺激到德川家康。

秀赖一行祭完了丰国神社，重返伏见。

秀赖十分满意清正的安排，拍着手欣然笑道："很好，很好！"

阳光下，两侧河岸上的金屏风闪闪发光。

负责宴席的仆人满满当当。

"真是可喜可贺！"

"是呀！"

大家轰然痛饮。

主厨房内，清正的厨师片山梅春指挥着十几个厨师，忙碌不停。

片桐且元拽了拽加藤清正的衣袖，低语道："主计头大人，这一次，丰臣家总算太平啦。"他热泪盈眶，喜极而泣。

加藤清正没有点头，而是看了看一旁的浅野幸长，只见幸长正惑然看着且元。片桐且元总带着老人的伤感，一时的喜悦和悲伤就会让他热泪盈眶，这让清正和幸长难以理解。

清正和幸长都不觉得事情到此便会结束，从此以后就会万事大吉。只是暂时解决眼前的危机罢了，关东——不，德川家康真会就此允许丰臣家存续？

这种不安，尚且没有消除。

清正和幸长都没料到上洛的丰臣秀赖会如此受到百姓欢迎。这固然可喜可贺，但关东方面肯定会大感不快。大御所德川家康虽未流露，清正和幸长却清楚察觉了他深藏的那份感受。

然而，这次上洛，丰臣秀赖总归是对德川家康拿出了一种臣子姿态，向天下表明了态度。这正是德川幕府和家康一直希冀的事，所以他们就不该再有意见了。

但是，这不意味着万事就此大吉。

德川家康重新认识了京坂两地丰臣家的超高人望，没准会设法让右府大人搬去别的地方……

船上举杯相庆的清正和幸长，满脑子想的都是这事。

丰臣秀赖拥有七十万石的地盘，而且就挨着天皇的京都。倘若没有石田三成和关原之战，眼下执掌天下大权的肯定是秀赖无疑。

秀赖娶了现任将军德川秀忠之女——家康的孙女千姬为妻，算是家康情理上的孙子。然而，一旦到了危机时刻，这种亲缘关系根本没用。

清正觉得丰臣家唯有继续向关东方面低头。

——不，那只是此时此刻的想法。

（该怎样让关东方面知晓这种更低的姿态呢？）

不久，清正回到了熊本，细细寻思此事。

（明年再度上洛吧，看情况达成协议好了。）

决定这样做，就不可以再有懈怠。加藤清正又要开始忙碌的日子了。而且，他接受了家康指派的皇宫改造课役。基本上所有大名都有份。

跟筑名古屋城时的情况不同，清正这次不直接指挥工程。他打算利用明年上洛之际，去骏府拜见家康，就这次秀赖上洛之事表示谢意。

晚春时节，午后的阳光普照着河面、河岸。

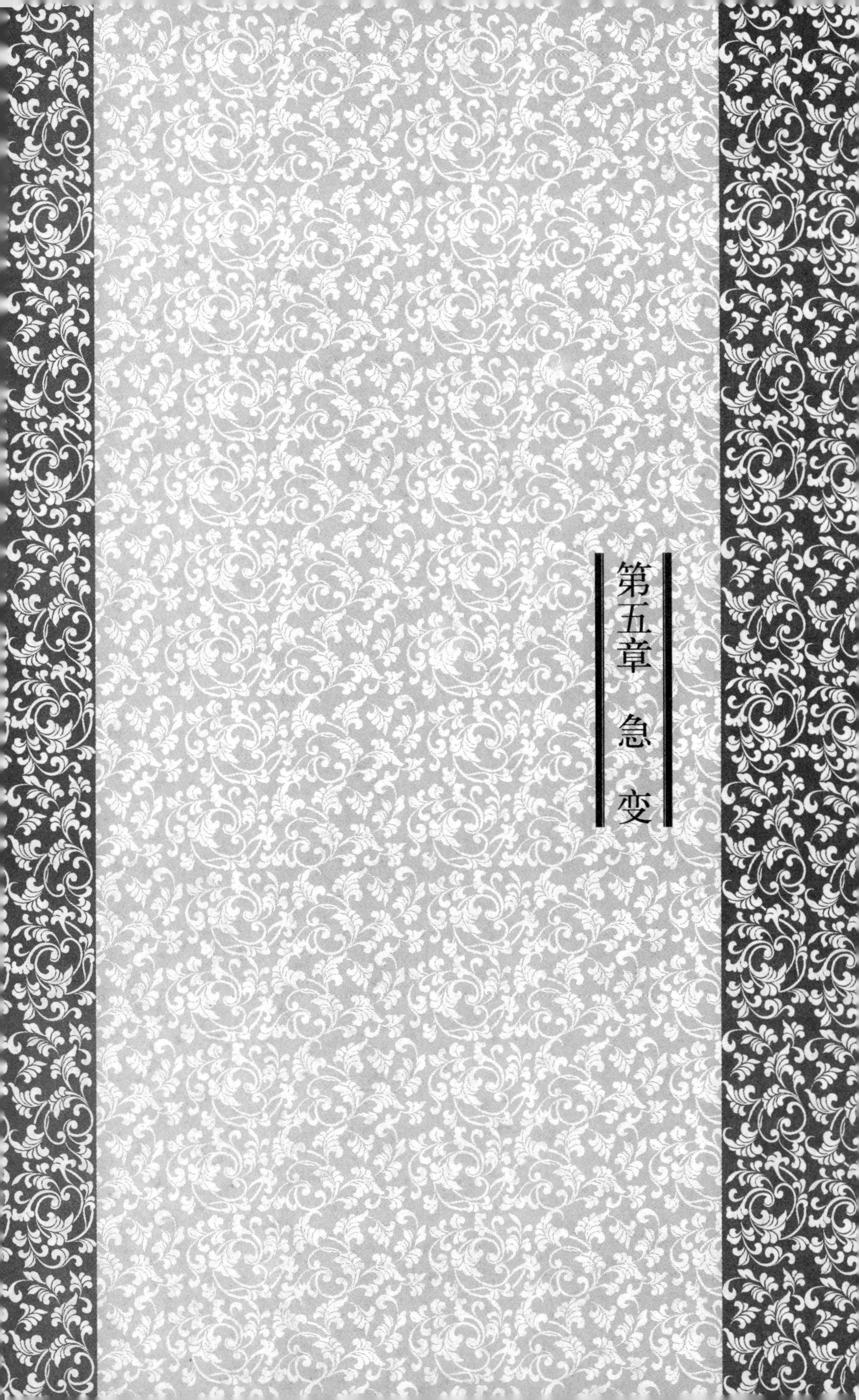

第五章　急变

第壹话

丰臣秀赖特别高兴。这跟顺利见到德川家康固然有关，但更主要的则是第一次离开大坂城的解脱之感。

嫩叶渲染的多彩山岚和树木，芬芳的泥土，鳞次栉比的街道和民宅，川流不息的男男女女和孩童，这一切都让他大感新奇。包括阳光照射下波光粼粼的河水，甚至是小鸟的啼鸣，秀赖都似乎是有生以来首次见到。

凡此种种，无不让他心旷神怡。

侍臣不断斟酒，秀赖屡屡举杯。当真海量，不愧是身强力壮之人。而且，他的食欲很好。

片山梅春挖空心思准备的膳食陆续被端了上来。

"这个我真是第一次吃呀。"

丰臣秀赖尤其赞赏梅春亲手制作的鱼糕。

这当然不是普通的鱼糕——将鲜鱼放进臼中捣碎，再用急火快速烘烤，烤出的鱼糕立刻端来，那味道肯定鲜美。

　　大坂城内的秀赖吃的都是厨师永井养顺的料理，却要先经几个家臣验毒，待得呈上来时，早都凉了。

　　"真是难得的美味！"

　　这就怪不得他会如此喜欢这新鲜、自然的膳食了。

　　"把这鱼糕当礼物让我带回去吧，好不好？"

　　片山梅春登时热泪盈眶，喜道："那真是荣幸之至啊！"立刻着手准备。

　　庆功宴持续的时间不是很长。

　　加藤清正和浅野幸长稍微耳语了几句，便带家臣下船离去，打道回府。

　　他是去做动身的准备了。

　　秀赖和家康的二条城会面顺利结束，清正和幸长根本不需要将他送回大坂，但清正坚称不行，一定要陪着秀赖回去，以兑现当初的承诺。

　　丰臣秀赖听了，大喜道："那样的话，回到大坂城就好好招待主计头一下！"

　　回府准备动身的加藤清正唤来片山梅春，赞道："梅春，今天的膳食真是很精美呀！"

　　"是……"梅春伏地行礼。

　　"右府大人十分喜欢。"

　　"真是愧不敢当。"

　　"从大坂回来后，我会好好奖赏你的。"

　　"小人惶恐。"

　　"好了，退下吧。"

“是。”

“其实呀，我只是想说你做得很好，谢谢你了。”

“小人不敢当。”

梅春似乎有些哽咽了。

加藤清正走出府邸，回到船上。不久，丰臣秀赖的船驶向大坂。

这天深夜，加藤府邸主厨房对面的长屋内，片山梅春酣然睡去。

秀赖乘船离开之后，浅野幸长出面继续浅野、加藤两家人的酒宴，直到晚上方告结束。梅春收拾好主厨房，回到长屋，躺下就睡着了。

熟睡中的梅春忽被惊醒。

不是有东西响……隔扇对面的那间房里，似乎有东西飘过。

梅春持续忙了整整一天，总算是倦然睡下，却又被细微的动静惊醒。倘若他未曾接受特殊训练的话，未免说不通了。

梅春虽然醒了，鼾声犹自不断。床上，他的右手微微活动，抽出短刀。

他竟然有每天晚上抱着短刀睡觉的习惯！

然而，这种事确实是第一次出现。隔扇的彼端很明显有人活动。

梅春睡着时，那里有人一动不动待着。这个形迹可疑之人紧紧贴着隔扇。

只听梅春轻轻问道：“来者何人？”

瞬间的沉默之后，隔扇后面有一个男人说道：“不愧是片山梅春大人，都察觉动静了嘛。”

梅春似乎非常熟悉这个嗓音。是加藤清正的老臣饭田觉兵卫的家臣——伴野久右卫门。

“伴野大人？”

“是的。”

“哎？”

一时间，梅春茫然了。深更半夜，几无往来的伴野久右卫门为何悄悄跑来？

“梅春大人。”

“嗯？”

“可否让我进去？”

伴野和梅春说话时的措辞，跟平日里大不一样。

“您有事？”

“是的。”

梅春握着短刀坐起，问道：“您只要随便招呼一句，我立刻就会去的，为何……”

“别怕……打扰了。”身材矮小的伴野久右卫门轻轻拉开隔扇，走了进来，从怀中拿出一个用布包裹着的东西，“您看看这个。”说着便打了开来，拿出里面的东西让梅春看。

片山梅春借着微弱的烛光一看，只惊得睁大了眼睛。

那是个一寸四方大小的铜板，表面刻着一只小小的蜗牛。

第贰话

只有执行特殊任务的甲贺忍者才会带着这种小铜板，以此表明身份。

片山梅春被故去的甲贺头领——大和守山中俊房——赐予刻有蜗牛的铜板，是三十年前的事了。

三十年前，甲斐武田家堪堪便要灭亡，而真田父子尚是武田胜赖的家臣。本故事正是由此铺开。那时，织田信长立志夺取天下，丰臣秀吉以其麾下宿将的身份，纵横战阵。那时……

片山梅春正苦苦钻研厨艺，同时按照山中大和守的指示去各地办事。然而，他手中的蜗牛铜板其实另有一番含义——不准主动联络甲贺方面。换言之，接到甲贺头领的指令以前，只能在被安排的地方老实待着，不允许像别的忍者那样自主行动。否则难免会让人觉得举止诡异，招来怀疑。

因之，现下的梅春似乎彻底成了一个厨师，早就忘了甲贺。倘若做不到这一点的话，危急时刻便难以完成重任。

他几乎从未接到指令，所以……

他会去当增田长盛的厨师，正是遵照山中俊房的指示。然而，增田家没落之后，他出仕了加藤清正。这就不是甲贺方面的命令了。

没有特别的指示，就老老实实当个厨子好了。最好让一切都顺其自然。

梅春不曾联络甲贺，甲贺方面却一直关注着他的行动。假如甲贺方面不想让梅春接受加藤清正的邀请，从一开始就会让他远离加藤家。

将指令带给梅春的人，肯定会出示蜗牛铜板。

梅春去当加藤清正的厨师时，没有接到甲贺的指令。这表明甲贺头领认同梅春之举。

现下持有蜗牛铜板的甲贺忍者，听说都不足十个人了。

今年春天，一个飘过微雪的夜晚，大和守山中俊房悄然离世。片山梅春尚不知晓此事。甲贺方面上次联系他，是文禄元年——将近二十年前。

总而言之，他万万想不到饭田觉兵卫的家臣——加藤清正信赖的伴野久右卫门，竟然会持有甲贺的蜗牛铜板！

片山梅春去当主计头加藤清正的厨师以前，伴野久右卫门好像就是饭田觉兵卫的家臣了。具体的情况，梅春早就忘了。他一直以厨师的身份生活，根本不太注意那些陪臣。

言归正传——

偷偷跑到梅春长屋的伴野久右卫门将蜗牛铜板放回怀中，问道："确认了吧？"

一时间瞠目结舌的片山梅春立刻恢复甲贺忍者的状态，点了点头。

"甲贺果真有这个男人？"

梅春从不曾见到伴野，更不曾听说他的名字……只怕"伴野久右卫门"不是本名。

但是，这都无所谓了。对方拿得出蜗牛铜板，就肯定是甲贺忍者。

"那……"

梅春正待从片刻不离身的小兽皮袋中拿出同样的蜗牛铜板，却见伴野摇了摇头，说道："不用。"

闻言，梅春将手从怀中抽出，问道："头领大人有指示了？"

"是的。"

"大人一切都好吧？"

"嗯。"

伴野久右卫门为何不坦言俊房之死，反而点头称是？莫非他都不知道山中俊房死去？然而，他和甲贺之间肯定有办法联络。

"大久保堪七大人……"伴野微微一笑，喊出梅春本名，"您一定很吃惊吧？"

梅春唯有一笑，问道："大人有何指令？"

"如果可以……"

伴野伸手入怀，摸索出一个长约三寸，比筷子略粗一点的竹筒。竹筒周身裹着蜡液。这个小竹筒里似乎有些东西。

伴野将竹筒递给梅春。

梅春凝目盯着竹筒，迟疑道："这……"

"刚才，甲贺送来的。"

"哦……"

伴野是何时何地跟甲贺使者碰面的呢？

"伴野大人。"

“在。”

“这是不是毒药？”

“对。”

“让我用的？”

“对。”

“毒谁？”

“主计头。”

伴野答道。两人说话时没用上读唇术，但是话音极小，纵然是挨着他们都很难听清。

“给主计头？”

“是的。”

“这……”

平时，梅春细小的双眼总像睡着的猫，此时却骤然睁大。伴野久右卫门同样瞪大了眼，死死盯着梅春。两个人的额头上都微微冒出汗来。

他们盯着对方看的样子，简直像是用目光默默交谈。

“唉……”

片山梅春微微一叹，将装着毒药的竹筒放进了睡衣口袋。

伴野看着梅春的举动，目光渐渐柔和，问道：“您都明白吧？”

“对。”

他们说的是毒药的种类和用法。

“告辞！”

伴野久右卫门从梅春面前消失了。

第叁话

片山梅春再度躺下。烛光扑朔迷离。他突然一个翻身，吹灭了烛火，而后就那样一动不动地坐在床上。

大和守山中俊房向梅春下了指令——毒死加藤清正。

这自然是梅春始料不及之事。

片刻之前，梅春兀自觉得"投毒"这种老忍者的做法似乎绝迹。

整个天下都是德川家的了。

（清正大人辛苦维持东西双方的安定，总算促成丰臣秀赖上洛，可谓开花结果……）

梅春就是这样理解的。

二条城内，家康和秀赖会面了，天下人莫不欢庆和平的到来。哪知庆贺之日当晚，就要暗杀促成此次会面的功臣——加藤清正。

甲贺方面想要杀掉清正？山中俊房是向德川家效命的。如此说来，难道是德川家想要清正的命？然则大御所德川家康为何要一再命令主计头干这干那？

纵是老练的忍者片山梅春，此刻都无法相信这一切竟是真的。

到底是谁指使甲贺这样做的？

——不知道。

虽然他是忍者，不知道亦不奇怪。

十年来，德川幕府的间谍网无比完善，层次相当复杂。中枢机构根据各方信息下决断时，难保不会擅动，甚至都不太顾忌大御所家康和将军秀忠。

忍者的世界，本来就不同常理。别的不说，这个伴野久右卫门突然拿出蜗牛铜板给片山梅春看，而后者事前全然不知他是甲贺忍者。

梅春深深一叹，躺下了。

静谧的黑夜，不冷不热，却让人心烦意乱。梅春的腋下被汗水浸透。

主计头清正每天的饭菜都由梅春亲制，不管熊本、伏见，就算是上洛途中，他都会带着梅春。

甲贺方面默许他当上清正的家臣，就注定他此刻要克制情感，辜负主公清正的宠爱。否则就唯有突然生变，让他无法再履行职责。而那正是山中忍者最不想做的事。

譬如——很久很久以前，真田草者阿江的亡父马杉市藏脱离甲贺，当了武田家的忍者。

失败的案例总会有的，但整体上的成功率无疑甚高。

让清正最中意的厨师梅春去给他下毒，这自是手到擒来，简直万无一失。

梅春深得清正信赖，而且加藤家的每个人都很信赖他。片山梅春受到主计头清正的宠信，却没有因此跋扈，一直忠实进行厨师的工作。

（哪知却要我……）

梅春委实想不到会接得这样一个命令。

（头领大人怎么想的呀？）

梅春不知道山中俊房早就死了，却很清楚伴野久右卫门给他的毒药的类型。

甲贺有各种不同的毒药，但片山梅春只会用其中的一种。

床上的梅春辗转难眠，直到天空泛白都没睡着。

天亮了。这一天的傍晚，送丰臣秀赖回到大坂的加藤清正就会重履伏见。

清正打算待到四月十日前后再回熊本。他想去看望和歌山城的旧友——重病中的浅野长政。而且，这一切都征得了德川家康的同意。

清晨，片山梅春从长屋走向走廊时，伴野久右卫门忽从暗中走出。他似乎早就来此等着梅春了。

——早上好！

伴野的嘴唇动了一动。

——嗯。

同样没有动静。两人都用唇形来识别语言。

——离开加藤家的时间，我会另行通知。你离开这里以后，就去远州挂川驿站附近的威光寺。

伴野用唇语嘱咐道。见片山梅春点头，伴野久右卫门便微微一笑，开口说道："主计头大人一定很期待晚上的美食吧。"说完便走开了。

第肆话

是夜，下久我的忍宿里只有阿江和权左两人。

家康和秀赖会面的那天早晨，阿江本拟去九度山汇报奥村弥五兵卫之事，无奈这次二条城会面搞得京都、伏见、大坂一带水泄不通。

若是以前的阿江，肯定会照常出门，再突破关东方面的重围，安全返回。

阿江尚不确信弥五兵卫死了，这只是她的一种感觉，眼下无法断言。

（如果弥五兵卫活着，关东的警备只会更密。何况我的体力尚未完全恢复，不如看看情况再作决定……）

阿江寻思着。她很想看看由大坂前往二条城的丰臣秀赖的队伍，想看看秀赖的样子，更想看看前来迎接的德川家众人。她想将亲眼看到的事情讲给九度山的左卫门佐大人。然而，这同样很危险。

权左不断强调眼下不适合出去，所以阿江虽做好了出门准备，却决定不去九度山了，也不去京都。

"我们确实要去一下九度山。"权左满是皱纹的脸上依稀有了点血色，劝道，"但您暂时就别露面了吧。"

权左年逾八十，将近九十高寿，犹自耳聪目明。他甚至宣称一旦有急事，他一天就能跑二十里路。

晚饭后，权左让阿江躺到炉旁，开始帮她按摩身体。阿江回到下久我之后，权左每晚都会给她按摩全身。

"不太行呢。"

权左边按摩边嘟囔着。

"哎？"

阿江正闭目享受着按摩，不觉接了一句。

"我说你的身体状况，不太行呢。"

"真的呀？"

"最好让人替你去九度山吧。"

"哦……"

"看现状嘛，如若有个闪失，阿江没准会身遭不测哦。"

阿江无从辩驳权左的话。她的确尚未消除脱险后的疲惫感。起身之时，偶尔甚至会觉得眼前突然一黑。

消耗殆尽的体力一直没有恢复。从下久我到纪州九度山的路途不远，但途中难免会有意外状况，所以阿江不敢大意。

"权左……"

"嗯？"

"就按你说的吧。"

"那太好了！"

"但是，我们要快点把弥五兵卫的事情告诉左卫门佐大人。"

"那不如您写封信让中原丈助送去？"

"只能这样了。"

阿江点了点头，神情微见落寞。突然，权左按摩阿江腰部的双手停住了。阿江紧跟着坐起身来。他们隐隐听到门外的黑暗中，有人正慢慢走近。来人至门口停下，轻轻叩响了门。

阿江问道："佐助？"

权左从土间出来，打开了门，微一惊呼，立刻下跪行礼。阿江同样目瞪口呆。

来者竟是左卫门佐——真田幸村。幸村打扮成"山伏"的模样，佐助则用拐杖一前一后挑着简单的行李。

所谓"山伏"就是山中修行的信教者，一般是头裹头巾，随身携带悬铃木，手持金刚杖，身披袈裟，背着盛放佛具的箱子。

幸村曾几次乔装"山伏"离开九度山，去往京都和大坂。

自从关原一役之后，他就再没踏进下久我的忍宿了。所以，他的突然来访让阿江和权左都是一惊。

阿江伏地行礼，说道："太欢迎您了。"

幸村看着阿江，问道："阿江，你就像变了个人一样，难道病了？"

"啊……算是吧。"

"算是？"

这时，只听阿江命令道："哎，权左，快去准备热水。"

佐助放下行李，去帮权左生火。阿江回到土间，帮幸村脱下草鞋，开始给他洗脚。

"我们正要去九度山呢。"

"哦？"

"有一堆事要向您禀报。"

"出事了？"

"是的。"

"奥村弥五兵卫呢？"

"他走了。"

"我问的就是他去了哪里。"

"不是去了哪里……"

"哎？"

听到阿江的回答，土间的向井佐助登时停下手中的活儿，回头望来。此时，下久我西方一里的伏见肥后府邸里，加藤清正正跟老臣饭田觉兵卫聊着。清正刚刚从大坂回到伏见，吃完了片山梅春准备的晚饭。饭田觉兵卫被喊来跟清正共进晚餐。

清正情绪颇佳。只有两个人的时候，特别是和自幼亲密无间的觉兵卫一同喝酒的时候，清正会以"阿觉"来称呼觉兵卫，措辞更是相当随意。

"这次总算是顺利完成任务喽。"

"是的。"

"高台院夫人好像挺放松了。"

"对呀。"

"但是……"清正脸上的笑容突然消失，"一切才刚刚开始。"

"的确如此。"

"全是些劳神的事呢。"

"没办法。"

"以后要继续指望你呀。"

“您只管说嘛。”

饭田觉兵卫的言辞渐渐放得开了。

“我打算后天去和歌山探望浅野弹正大人。”

“那我陪您去吧，我挺想见见他的……”

“嗯，搞不好就是最后一面了。”

觉兵卫自年轻时便深得浅野长政的关照，虽说身份不同，但关系一直亲密。

“话说回来，我真没想到右府大人去了二条城之后会有如此出色的表现，真想让你去瞧瞧呢。”

“要是大人……我是说，要是太阁大人再活五年，肯定不会放纵某些人的。”

“说这些还有何用呀，阿觉，真想不到你会说这样的话呀。”

“啊？”

“今天多喝点，如何？”

“好，没问题。”

清正吩咐下人再拿些酒来。这天夜里，清正和觉兵卫主仆都吃了片山梅春准备的饭菜和汤汁。

“告诉梅春，今晚的饭菜格外好吃。”清正特意派下人前去转达，又道，“阿觉。”

“嗯？”

“我回熊本后，你继续留守大坂吧，好不好？我知道这很辛苦，但总怕会有紧急情况，只好这样做了。”

“放心吧，我会的。”

两人喝到很晚，然后各自回房，沉沉睡去。

第伍话

伏见的加藤清正沉沉睡去之际，下久我的真田幸村和阿江尚未谈完。

阿江身后站着权左和向井佐助。她本打算让幸村去后面的她的小房间，但幸村说没有关系，就这样好了。

适才，幸村洗浴完毕，除去了身上的汗水和尘土，吃下三碗由权左煮的栗子米粥，不断称赞味道之佳。然后，他重新坐回到炉旁，催道："阿江，快说吧。"

"你是说奥村弥五兵卫的下落？"

"是的。"

阿江只得照实说了。

幸村听完，说道："真没想到呀！"样子却不太吃惊。反正阿江是没看出来。

佐助的脸色倒是变了。

"您认为弥五兵卫目前怎样？"

“目前怎样？”

“我是说，你觉得他是否活着？”

“恐怕不会吧。”

说完，幸村便闭上了双眼。就这样失去了一直信赖的真田草者——弥五兵卫，那种懊恼的情绪肯定让他难以抑制。

“无法挽回了……”阿江挺直身子，续道，“真的是非常抱歉！”

“阿江，不是你的错。”

“不，我该继续劝说他的，现下回想，真是尤其后悔。”

“有时候啊，就算是父亲大人的话，弥五兵卫都不会听的。”

“啊？以前就……”

“从年轻时就那样了。”

“这样呀……”

“但是他一般不会这样，特别是壶谷又五郎来到真田家以后。他对又五郎佩服得五体投地。”

“是呀。”

“而且，弥五兵卫年轻时总是独自完成艰难的任务，从未失手。”

“真的啊？”

“先是失去了壶谷又五郎，又失去了奥村弥五兵卫……”

“是呀。”

见阿江愧然垂下了头，幸村说道：“阿江，从此以后，你一定要好好保重呀！”

“真是抱歉！”

“弥五兵卫太急躁了。”

“啊？”

"如果他哪里都不去，好好待到我来，听我说完下面的话，那就……"幸村有些说不下去了，须臾才又开口问道，"权左，有酒没有？"

"有，我忘了拿了。"

权左急忙去了土间。

幸村见酒拿来，便将阿江那个空酒杯递给向井佐助，说道："你喝点儿吧。"

"啊？"

"没事。"

"好的。"

这一年，佐助二十七岁。关原之战前，他离开了真田庄的草者小屋，被派往又五郎和阿江那里，当时年方十六。几年下来，他的身高几乎没变，依然是身材矮小、面相年轻。然而，阿江只要看到了慢慢长大的佐助，就总会无限慨叹十年的光阴如梦似幻。

佐助都二十七了，服侍沼田的伊豆守真田信之的父亲向井佐平次呢？具体年龄不大清楚，但肯定接近半百。信州高远城陷落时，他被阿江救出，而且因此得以首次和女人肌肤相亲。那一年的向井佐平次是十九岁。

（佐平次夫妇如果看到佐助，真不知会有何感想……）

阿江总是琢磨不透，搞不懂十年间似乎完全忘掉父母的向井佐助所想的事。

幸村这次没让阿江喝酒，只给佐助和权左递去酒杯，让两人觉得不可思议。

"喂，阿江。"

"哎？"

"昨天呀，我去了二条城附近，看到右府大人的模样了。"

"所以才又来到这里？"

"是啊。"幸村点点头，"真没想到他长大了竟会如此俊美！"

佐助跟着点头，对幸村的说法表示支持。

"我混进人群，清清楚楚看到了四面敞开的轿中人。"

幸村双眸中的光芒没逃出阿江的眼睛。

"我从没见过这么有气势的大名。"

幸村的话音里充满希望，这同样没逃出阿江的耳朵。

"我真想让九度山的父亲大人亲眼看看啊。"幸村难掩兴奋，继续说道，"就算是我啊……"

阿江、佐助、权左三人齐齐望着他脸上洋溢的微笑。

"我竟然忍不住就看呆了。"幸村说得甚是兴奋，将杯中酒一饮而尽，这才把酒杯递给阿江，"喝吧！"

"是。"

阿江从幸村手中接下酒杯的刹那，突然全身一热。这可不是随便说说的话。阿江突然有了一种感觉，好像理解了幸村的想法。

"右府大人该有十九岁了吧？"

"对。"

"十九岁呀……"幸村似乎开始回想昔日年轻时的感觉。只见他微闭双目，良久不语，忽又自言自语般道，"大御所昨日亲眼目睹了右府大人的风采，不知会作何感想。"

阿江登时热血沸腾，脸色苍白，甚至忘了喝权左所斟的酒。而向井佐助则是满面通红，权左那瘦小的身体更开始微微颤抖。

这时，佐助和权左都明白了幸村想要说的。

真田幸村突然睁大眼睛，问道："阿江，你明白了？"

阿江使劲点头。

"二条城会面注定带来难以预料的情况，但那总归是大御所独自盘算之事，未来很难断言……倘若我就是大御所的话，我亲眼看到右府大人的时候……"幸村突然住口，拿着酒杯让阿江斟酒，"明天一早，我就回九度山。"

"是。"

"佐助跟着我回去。"

"遵命。"

"阿江，你的身体恢复以后，也去一趟九度山吧。"

"我这就跟您去吧……"

"别急！"幸村蔼然一笑，"不用急。"

"那好吧。"

"通知下久我和各地忍宿的草者，没有我的命令，谁都不许采取行动。"

"是。"

"千万别忘了啊！"

"遵命！"

"真田草者中不许有重蹈奥村弥五兵卫覆辙之人，哪怕一个都不行！"

阿江等人深深低下了头。

昨天，丰臣秀赖结束了和德川家康的二条城会面之后，又去参拜了供奉父亲秀吉的丰国神社。其间，秀赖顺路去了附近的高台寺稍事休息。所以，高台寺的下人——草者小助——肯定窥见了秀赖的风姿。

小助肯定将他的印象经中原丈助告知了阿江。然而，阿江着实想不到幸村目睹了丰臣秀赖的风采之后，竟会有如此大的反应。

别说阿江，就算是一直陪着幸村的佐助，明明知道幸村昨日乔装"山伏"观察了轿子里的秀赖，看到幸村此夜的样子都忍不住大感错愕。

昨天，幸村混进人群观察秀赖的队伍之际，样子非常冷静，眉毛都不曾一动。

第陆话

　　第二天清晨，天犹未亮，"山伏"真田幸村便带着向井佐助离开了下久我的忍宿，踏上回九度山之路。伏见肥后府邸的加藤清正醒来之时，幸村他们都离开快有四小时了。彼时，红日正当空。

　　清正一般不会这样晚醒。隔壁房间待命的家臣见主公一直不醒，深感不安，便将隔扇悄悄打开一点缝隙，向内张望。卧室里充满主计头清正的气息。大家听到清正的呼吸，这才放下心来。

　　"一定是累坏了。"

　　"怎么办才好呢？"

　　"是呀……"

　　他们当然想让主公好好睡上一觉，但当天若有何安排就不好办了，所以便去跟饭田觉兵卫商量。饭田觉兵卫笑道："哦？这不错呀。就让大人好好睡吧。"因之，家臣们决定等主公睡到自然醒。

　　清正醒来，第一句便是叹道："睡得真爽呀！好几年没这样睡了。"向家臣们露出一丝苦笑。

　　昨晚从大坂回来时，清正脸上满是浓郁的倦态神情。现下，那神情一扫而空。家臣们都是暗暗欢喜，觉得让主公如此休息一下果然挺不错的。唯一觉得不大对劲的，是家臣松野与惣次。只有他察觉了清正嗓音的嘶哑。

　　清正刚醒时，嗓音总会有些嘶哑，松野对此早就习惯了。然而，那一瞬间他确实觉得有些奇怪。

　　（难道是这几天累得身体不适了？）

　　吃早饭时，清正的嗓音恢复如故，而且脸色和食欲都很不错。见状，松野暗想那大概只是虚惊一场，不禁松了口气。

　　加藤清正喊来饭田觉兵卫，商量次日去和歌山的行程。他们联系了浅野幸长，幸长希望他们带上十来名浅野家臣。病中的老父曾警告幸长不要擅离伏见，所以他无法亲自去探望父亲。清正想先去和歌山住一宿再探望老友长政，次日返回伏见。幸长将此事通知了和歌山。当然，清正的和歌山之行早就得到了德川家康的允许。

　　清正的队伍不算如何壮观，加上浅野家的家臣，才只四十余人。

　　探望长政的物品，都准备妥当了。然而……

　　清正吃晚饭时，家臣们都觉得他似乎身体不佳。饭田觉兵卫走后，清正一直闭门不出，好像是要给各处置信。似乎就是那段时间内，他的身体有了变化。

　　松野想到清正早晨时的嗓音，忍不住道："您的脸色不太好呢。"

　　"大概是没休息好吧。"清正笑了笑，开始动筷吃饭，没吃几口，又道，"奇怪，梅春的饭菜竟然一点味道都没有了。"

　　此时此刻的清正全然没了食欲，家臣和下人都看出来了。倘若他最喜欢的片山梅春准备的膳食都让他味同嚼蜡的话，他肯定是病了。

清正说了句"别当回事"，便又回了房间，但大家哪里会不当回事？松野与惣次立刻去见饭田觉兵卫，后者问明情况，急道："快去请佐佐一斋。"佐佐一斋是伏见府邸内的医生，负责清正平时的健康。熊本地区另有医生。

得知饭田觉兵卫带着佐佐一斋求见，清正责备道："我不是说了别当回事？"

"可是……"

"与惣次，我就是感冒了嘛。"

"是。"

"算了，让一斋进来吧。"

"遵命。"

觉兵卫和一斋立刻进来。佐佐一斋看到清正高烧，非常吃惊，一摸脉象，觉得情况更要糟。

"您快快卧床休息。"

"病得很重？"

当年渡海征朝之际，清正曾两度高烧，却从未因病卧床。他自幼坚持锻炼身体，就算到了这个年龄，对自身的健康都甚自信。

佐佐一斋当然想不到清正的高烧会如何恶化。纵横朝鲜的加藤清正固然只有三十许，但现年五十的身体绝不衰弱。

一斋只得劝道："明天您要去和歌山，所以晚上一定要好好休息。"

"这倒是。"

清正略一寻思，果然走向卧室，喝下一斋的汤药，很快就睡了。

这时，片山梅春刚好从主厨房回到了他所住的长屋。

屋内好像有人。

第柒话

清正完全没察觉身体正被毒药腐蚀，这让梅春异常痛苦。他敬重清正，一直把清正当恩公对待。然而，他唯有执行甲贺方面的指令。

“梅春大人……”

长屋最里间，伴野久右卫门开口说道。他是偷偷溜进来等着梅春回来的。

伴野看着走进来的片山梅春，说道：“听说高烧了？”

这当然是说加藤清正。梅春点了点头。

伴野说道：“别担忧嘛，梅春大人，不会有人怀疑你的。”

“真的？”

“再稍稍忍耐一下吧。”

“好吧。”

“这样下去，就快回熊本了吧。”

“听说明天要去和歌山探望浅野弹正大人。”

“对。”

“难道就这样高烧去和歌山？”

“不会不去的，但不会亲自去。病人是不会去探望病人的。”

“哦。”

“梅春大人，你看那个药的效果如何？”

“尚无大碍。”

“那你估计他何时会丧命？”

听到伴野久右卫门的问话，梅春闭上眼睛，久久未答。

须臾，他呢喃道：“二月。”

“二月？”

“我是听头领大人说的。”

“听说那个毒药不是甲贺的。”

“对。”

伴野给梅春的细竹筒里只有两颗褐色的药丸，都跟半粒米一样大小。梅春将其中一颗放进了加藤清正的汤碗。

虽不清楚具体情况，但这毒药肯定是来自异国。如此特殊的毒药，甲贺是没有的。听大和守山中俊房说，这毒药不会立刻夺去服下者的性命，而是历时甚久，缓缓破坏人体脏器。当此人毙命时，大家只会觉得是病死的……这对某些情况无疑是极合用的。但是，俊房当时没有把药交给梅春，而是约定一旦需要，便派持有蜗牛铜板的甲贺忍者将装有毒药、用蜡油密封的竹筒送到梅春手上。

除了梅春，没准尚有哪里的甲贺忍者懂得使用这种毒药吧。

“二月……”伴野久右卫门重复道，“那就更不会有人怀疑了。”

梅春看着伴野，问道：“主计头大人身亡之前，我要一直留下？”

他似乎有些抱怨。

“只要没人怀疑，这是最好的选择。傻乎乎逃走的话，你这个厨子肯定会被怀疑嘛。”

"好吧。"

"主计头清正寿终正寝……这样不是很好嘛。"

梅春默然不语，垂下了头。

毒药确实生效了。清正先是高烧不退，几天后又恢复了健康。跟着，身体又异常了。

梅春不需要再给清正投毒了，却要日复一日给他准备膳食。清正完全没察觉身体正被毒药腐蚀，这让梅春异常痛苦。他敬重清正，一直把清正当恩公对待。然而，他唯有执行甲贺方面的指令。

"好了。"伴野久右卫门似乎读懂了梅春之苦，"明后天就会有指示从甲贺送来。不管怎样，那之前希望您不要离开。"

"我知道了。"

梅春一点都不高兴，但他哪有办法？

直到这时，伴野都没说出大和守山中俊房死去之事。难道是有人命令他不要告诉梅春？那样的话，又是谁下的命令？难道……

难道伴野久右卫门和梅春一样，根本不知道俊房身故的消息？

伴野获取甲贺指令的渠道，和梅春是不一样的。

"梅春大人，就再忍耐一下吧。"

"好吧。"

"告辞！"

伴野久右卫门悄然从梅春面前消失。片山梅春喟然一叹，呆坐了好一阵子。风突然来了。

窗户"咚咚"响着，烛光紧跟着开始摇曳。

片山梅春缓缓起身铺床，心头无比沉痛。

第捌话

第二天，加藤清正的和歌山之行果然被取消了。

清正高烧不退。他当然可以强撑着动身，但那样一来就会让重病的浅野长政惊疑不定。清正就是这样想的。

"休息三天就会痊愈？那好，就三天后再去探望他吧。"

和老友见面，清正自然要健健康康才好。他派人去了和歌山城和伏见的浅野府邸，自称有急事要办，只好将和歌山之行推迟几天。

清正喝下佐佐一斋开的汤药，说道："让梅春做些白粥吧。"

四月就这样来了。一段时间之后，清正的病情似有好转，高烧总算退了。佐佐一斋告诉饭田觉兵卫，清正好像没大碍了。

"没问题了，八日那天就去和歌山吧。我们别再磨蹭了，一定要早点回到熊本才行。"

不知为何，加藤清正一直急着回去。

重臣神田对马守劝道："就算暂时先不回去……"

明年春天，清正又要到伏见来，所以他很担忧清正的身体状况。

清正这些年如何劳碌，家臣们自是看得清清楚楚，所以大家都相信其重病是累出来的。

"不，我一定得回熊本。"

"有急事？"

"没有大事，只是想回去啊。我想回到城内慢慢调养身体。"

"这……但是……"

神田对马守一副费解的表情。

（大人肯定有无法对我们明言之事……）

对马守思忖着，把这想法对饭田觉兵卫说了，问道："你说是不是？"

"这个嘛……"觉兵卫轻轻摇了摇头，"我会劝大人留下的，你就别挂虑了。"

"你说大人的病？"

"是的。"

觉兵卫就此住口。见状，神田对马守认定觉兵卫知道大人所思。清正卧床期间，曾数次召饭田觉兵卫长久密谈。

（为何只告诉觉兵卫，却不告诉我呢？）

对马守深感不满。德川家康和丰臣秀赖的会面固然圆满结束，但问题其实才刚刚开始。当前首要之事，是确保大坂和关东的融洽和睦，所以丰臣家一定要向江户幕府和德川家康实施一些亲和政策。由此看来，加藤清正确确实实是丰臣家的外交支柱。

神田对马守很明白这一点。

清正时年五十，按照当时人们的年龄来看，算是到了晚年。所以，清正肯定想抓住有生之年，确立丰臣家的安泰。

（主公接下来会如何对付关东方面呢？）

他急着回到封地，大概就是这个缘故吧。皇居改造的工程眼看就要开始。加藤清正虽不管具体的指挥，但"课役"一职就足以让他忙碌奔波了。

神田对马守的不满之情溢于言表，从饭田觉兵卫那里告辞出来，回到长屋里面，暗想："我要设法留住主公。不，一定要留住。"

生性敏锐的神田对马守无法打消那不安之感。他是加藤家伏见府邸的留守居，清正就任皇居改造课役一职之后，他要替主公负责指挥工作。他的妻子儿女很早以前就来到伏见府邸的长屋生活，所以他都有五年没回熊本了。

因之，他更加不安。生病的主公为何如此急着回去？他百思不得其解。他觉得加藤清正的病情只是暂见缓解，状况尚不容大意。

（主公的忍耐力极强，从不表露平日里的辛苦，但谁知道会不会有某种重疾正暗中消磨着他的身体……）

四月七日清晨，刚刚睡醒的加藤清正脸色很好。见状，家臣们纷纷说道："这样的话，明天去和歌山就不成问题了吧。"

"今早喝了两碗梅春做的白粥呢。"

"真的？那真是太好了！"

"千真万确。"

"太好了！快要好了嘛。"

大家都是喜滋滋的。谁都没有想到，清正吃早饭时，纪州和歌山城的浅野长政却正值弥留。

前一天的晚上，浅野长政的精神状况很好，甚至对房内聚集的家臣们笑道："主计头大人后天就要从伏见来看我喽，真期待和他好好说说话呀。"哪知第二天（七日）天犹未亮，他的身体状况就急转直下，生命垂危，看上去简直都等不到天亮了。当时，长政痛苦不堪，很快便意识混乱，继而驾鹤西去，享年六十五岁。

当晚，这消息从和歌山城送到了伏见的浅野府邸。两个使者快马加鞭，几乎片刻都没休息。

加藤清正行事慎重，决定乘轿去和歌山探望长政。一切准备停当之后，便进了卧室。突然，家臣山田又八郎轻唤道："大人……大人……"

"嗯？"清正睁开眼睛，"何事？"

"饭田大人求见……"

"觉兵卫？"主计头登时翻身坐好，"让他进来。"

"好的。"

门后等着的饭田觉兵卫立刻走进。

"打扰您了。刚才，左京太夫大人的使者从浅野府邸赶来，说……"

"弹正大人去世了？"

——不幸被清正说中。

"是的。"

"唉……"清正喃喃叹道，"到底是没赶上呀。"

"是。"

浅野长政病得久了，辞世只是早晚之事。加藤清正这次去和歌山，正是有着去跟他见最后一面的打算。

"到底是没赶上呀……"

清正念叨着。

"真是遗憾……"

饭田觉兵卫的双手紧抓裤子，结实的臂膀微微颤抖，突然忍不住开始啜泣。

一旁的山田又八郎不禁瞠目结舌。山田尚未到而立之年，从未见老臣饭田觉兵卫有这般姿态。倘若山田之父山田吉重活着，看到饭田觉兵卫如此表现，大概就不会吃惊了吧。

这份悲痛之情，只有那些从丰臣秀吉只是织田信长手下一个小小家臣时期一路走来的人，才可以理解。

加藤清正没有落泪，亦未责备呜咽不止的饭田觉兵卫，只是一动不动凝视着他。战国时的武士，时不时便会难以控制自身那强烈的情感。清正明白这一点。

觉兵卫哭了很久，方才拿出怀纸擦脸，低头向清正说道："真抱歉。"

"唉……"加藤清正点了点头，喊道，"又八，拿酒来。"

"啊？"

"拿酒！"

"您的病……"

"没关系！快去准备！"

"这……"

"我让你快去准备！"

清正的话音粗鲁得甚是罕见，山田又八郎只惊得讶然站起，忙道："我这就去。"

"快点！"

山田从清正卧室走出的瞬间，意外出现了。

第玖话

"我知道了。"梅春早就打定主意，将剩下一粒毒药的竹筒递给对方，"好了，用不着这东西啦。"

山田又八郎首先听到的，是加藤清正那异样的呼吼。

——不，那种声音，算得上是"呼吼"吗？

"啊……"

那是痛苦的嘶吼，还是突遭重创的狂呼？

山田突然听到主公的呼吼，立刻回身看去。

只听饭田觉兵卫惶然喊道："大人！"

山田急忙打开隔扇，冲了回去，一看眼前的情景，登时惊呼。

加藤清正雪白的睡衣胸前，竟然被染成了红色！

是血！是清正吐出的鲜血！

事出突然，山田一瞬间竟觉得是有人行刺大人！

老臣饭田觉兵卫自然不会刺杀清正。

山田推断是有人从后院跳进卧室行刺清正，立刻抽出短刀，游目四顾。但他很快就醒悟了，主公睡衣上的血不是别的缘由所致，而是他本人吐的。

“又八郎，快，快啊！”饭田觉兵卫抱着清正，大喊道，“快去喊佐佐一斋！”

“是！”

“镇定些！”

山田急忙将短刀插回刀鞘，欠身看了看清正的脸。只见清正那整齐浓密的胡子上都沾满了血。

觉兵卫用胳膊托着清正的头。清正双目紧闭，突然说道：“又八，别慌！”

“是，是的。”

“只告诉一斋就行了，不要告诉别人。”

清正一字字缓缓嘱咐道。话音低微，却是不容忤逆。

山田又八郎踉踉跄跄走上走廊，看了看四周的情况。时值深夜，走廊里半个人影都没。但是，很快就有一名山田的家臣来到了清正卧室的外间。

按照规定，清正卧室的外间里，每晚都要有两名家臣值班。

“这，这当如何是好……”

山田只吓得双膝都颤抖了。

清正吐了大量的血。山田又八郎强压不安，离开走廊。

“万一大人有个三长两短，该如何是好？”

这不只是加藤家的事情，搞不好都会影响天下大势。

佐佐一斋急忙从长屋前来，着手给清正治疗。

吐血量确实太大了。

清正躺到床上，兀自强撑着指示饭田觉兵卫办理给浅野长政送葬一事，最后决定由重臣神田对马守和和田备中守替他前去。

这天夜里，清正没再吐血。佐佐一斋的药似乎挺有效的，清正沉沉睡去。一斋对清正突然大量吐血的缘由有些茫然，只推测这是胃腹的异常所致。

翌日，清正的病情稳定了。

佐佐一斋对饭田和神田说道："我们先观察观察吧。"

饭田觉兵卫偷偷去了浅野府邸，将清正吐血一事如实告知浅野幸长。幸长立刻就要去探望，但觉兵卫告诉他清正不想这时就让别人知道实情。

"唉，倘若这时再失去主计头大人……"幸长话一出口，登觉不祥，忙道，"不，我这是……竟说了如此不吉利的话啊！"

"没事。"

"肯定是你们这些家伙太大意了。"

"佐佐一斋说，如果回熊本好好调养，当无大碍。"

"哦？真的？"

"是。本来不想让您知道的，但主公无法出席弹正大人的葬礼，所以我只好告诉您了。"

"请您告诉主计头大人，我明白了。"幸长的措辞突然变得无比郑重，"麻烦你一定要告诉主计头大人啊。"

"哎？"

"主计头大人和我，都要好好活下去才行。"

"遵命。"觉兵卫伏地行礼，"我一定会将您的话告诉大人。"

"有劳。"

浅野幸长此时三十有六，平时总是一副老成之态，不知道他年龄的人大都觉得他年逾四十。

这一天，幸长的脸上似乎一直都是灰蒙蒙的。翌日清晨，幸长离开伏见，重返和歌山城，而德川家康的使者亦于当日前往和歌山吊唁长政。

长政早就留好了遗言，葬礼从简。

两三天后，清正一直病情稳定，食欲渐渐恢复，又想喝梅春做的白粥了。佐佐一斋先让清正喝了些稀米粥，确定没有异样，这才让片山梅春做了清淡的白米粥。加藤家根本没有人怀疑梅春。

浅野长政的葬礼是四月十四日结束的。

加藤清正病稍好些时，让人喊来了觉兵卫，说道："二十日动身回熊本吧。"

"您的身体没问题了？"

"就快好了。"清正的嗓音比较洪亮了，虽然不算面无血色，脸色亦不算不好，"大家都准备好了？"

"准备好了。"

"喂，阿觉，我这次本想让你去大坂的，但到底是决定让你陪着我回熊本啦。没关系吧？"

"啊？"

饭田觉兵卫一时不知该如何回答。他没有明白清正的意思。

清正和觉兵卫说是主仆，其实更是总角之交。

二人默然对望了片刻，饭田觉兵卫自言自语般道："我明白了。"

他一脸沉痛。

加藤清正肯定是不再相信自身的健康了。前几天晚上突然吐血，清正不禁暗想自己没准哪天就会突然暴毙。他要家臣中最得信赖的觉兵卫长留身畔，自然是想到了各种突然降临的情况。

这似乎是眼下唯一的对策了。因此，觉兵卫决定陪着主公回去。

当时的武士大都不擅言谈。话说出口，却又给人一种没说完的感觉。这是一种习惯，是无意识的。

清正离开伏见之前，去了京都的高台寺跟高台院告别，又向大坂的丰臣秀赖告假到明年春天，取海路返回熊本。而且，他对饭田觉兵卫下了一系列指示。

十五日，加藤清正似乎病愈了，精神挺好，让人做些家常便饭端了进来。搞得佐佐一斋忐忑不安。

"梅春大人……"十五日的深夜，伴野久右卫门再次悄悄来到片山梅春房内，"甲贺来指示了，让你陪着主计头去熊本。"

"我知道了。"梅春早就打定主意，将剩下一粒毒药的竹筒递给对方，"好了，用不着这东西啦。"

"哦？"

"伴野大人会留下吧？"

"不，我跟着去熊本。"

"真的？"

"饭田大人要回去。"

"是这样啊……"

伴野提到加藤清正之时，只以"主计头"来称呼；但若说到他的主人饭田觉兵卫，便会自动换上"大人"的尊称。

他常年侍奉饭田觉兵卫，自然而然就对觉兵卫有了一份情感。

但是，去了熊本的伴野该如何联络甲贺方面呢？

这固然是个问题，但想来肯定会有万全之策。

第拾话

途中，加藤清正两度吐血。虽然都不如第一次吐血时那般吓人，但一直强打精神的清正彻底委靡不振了。

四月十五日，加藤清正去京都拜访了高台院。

二条城的会面圆满结束，高台院意态悠然，言谈间甚是愉悦。

"一定要留下来用膳哦……"

高台院一再挽留，所以清正提早吃了晚饭才回伏见。高台院一点都不知道清正病了。她从太阁秀吉年轻时便是一位贤妻，思虑缜密，唯独这次竟全未察觉。

从另一个角度来说，就是加藤清正的言语和行动都没有流露出任何异常。

他看上去情况不错，然而陪他同来的饭田觉兵卫却觉得他的脸色未免太红润了。清正大量吐血，好几日卧床不起，看上去竟全不憔悴。

但是，他一回到伏见府邸的卧室便立刻躺下，喝下佐佐一斋的汤药，睡了。

十六日，清正去伏见城向德川家康辞行。

家康情绪颇佳，笑道："我正打算后天回骏府呢。"

"这样呀。"

"听说主计头近来身体欠佳，此事当真？"

家康似乎挺挂念他的。

"略略有些疲劳罢了。"

"真的？唉，这次又辛苦你喽。"

"哪里，都是我常年不大注意的结果。"

"听说你明年春天会再上洛？"

"是，到时候我想去骏府见您。"

"真的？那好啊，我等着你。"

德川家康决定后天回骏府，所以前来拜会者络绎不绝，家康十分忙碌。十七日那天，天皇派来的使者抵达二条城，所以家康下午就要从伏见去京都了。

新帝后水尾天皇的继位大典圆满结束，家康需要进宫谒见一下。

此次上洛，家康得偿所愿。前两天，他甚至派德川义直、赖宣这两个儿子去了大坂，向丰臣秀赖赠送礼品，进行问候。

四月十九日，加藤清正离开伏见，来到大坂的府邸。次日清晨，他进城向秀赖辞行，当晚便从大坂的港口走海路返回封地。

丰臣秀赖同样没察觉清正的病情，只是说道："你竟然要明年春天才上洛，我哪里等得下去嘛。"

淀殿身体不适，没有见清正。

这一次确实不是托词。大概三天前，就像突然回到了冬天似的，夜间寒意尤浓。淀殿好像因此染上了风寒。

清正觐见秀赖时一直谈笑自若，全不见疲劳之态。

大坂城内的片桐且元府上，浅野幸长的家臣内田弥八郎一直没有离开。前天夜里，清正将内田喊到府邸，又喊来了饭田觉兵卫、和田备中守，密谈良久。

浅野幸长尚未从和歌山回来。

二十日的夜里，加藤清正乘船去了熊本，随从中自然包括片山梅春。伴野久右卫门跟着主人饭田觉兵卫上了船。而且，佐佐一斋跟着来了。

熊本另有医生，但一斋坚持同行，唯恐清正的身体半路上再有何情况。清正体恤一斋年迈，几次劝道："我没事，你就留守伏见吧。"然而，一斋死活不同意。

佐佐一斋似乎有某种预感。而且，他的预感果真成了现实。

途中，加藤清正两度吐血。虽然都不如第一次吐血时那般吓人，但一直强打精神的清正彻底委靡不振了。

他将饭田觉兵卫单独喊来，黯然笑道："有你陪着……太好了。"

"您何出此言！"

"我有好些事要交给你呢……"

说到这里，清正闭上了双眼。他的样子跟吐血前浑若两人。

第拾壹话

昌幸到底留恋这世界上的什么呢？被困在这样
一个荒凉的地方十余载，还有什么好留恋的？

九度山的真田昌幸、幸村父子听说了浅野长政辞世的消息。和歌山的浅野家给病中的昌幸送来药品，顺便告知了长政去世之事。

真田昌幸叹道："真想去出席他的葬礼，但我们现下身不由己呀。"哪怕是让幸村替父亲前去，都不被德川幕府允许——真田父子根本就是关原一役的罪人。

目前，真田昌幸的病情稍有好转。幸村偷偷去了京都二条城，将丰臣秀赖的神采告诉他之后，昌幸似乎容光焕发。

"哈哈哈……右府大人长大成人了，而且风华正茂……"昌幸听幸村讲述秀赖的堂堂仪表、大方得体，一时双目生辉，"大御所见到这样的右府大人，真不知会有何感想。"

"是呀。"

幸村目中亦是精光闪闪。昌幸看着幸村的眼睛，点头称是。

这时，幸村突然说道："父亲大人，所以啊，您千万别糊里糊涂就离我而去。"

“你说得对。”

“说定了啊。”

“你说得非常对！”

从这天开始，只要没有旁人，父子俩就会相谈甚欢。

幸村没将奥村弥五兵卫之事告诉父亲。

有一天，山手殿来到丈夫养病的房间，只见真田昌幸正盘腿坐着，盯着面前的枕头。枕头上是一幅画。昌幸聚精会神，犹如要把画一口吞下。

“这是哪里的画？”

她开口询问，昌幸却微微一笑，慢慢折好画放到枕边，重新躺下。山手殿看着丈夫的笑容，疑惑不解，很是忧虑。

说是笑容，倒更像是出征时一定要击败敌人的斗志。而且，只有昌幸才会把这种斗志转化成无所畏惧的笑容。武田家灭亡后，真田昌幸一度据守上田城，迎击攻来的德川大军。当时，昌幸几次露出了这样的笑容，山手殿自然不会忘记。

（他不会又开始打算盘了吧？）

是夜，山手殿非常担忧，直到天亮都没睡。她感觉昌幸的病不大容易好。

重病的丈夫一直看着那幅画，只要她一进去，他就会收起画，露出满足的笑容。这真是让人费解。

最近，幸村没日没夜往昌幸的房间跑，两人长时间交谈，这同样让山手殿非常担忧。她决定问问幸村，看看这两人到底谈的何事。

幸村一笑，说道：“我是去听父亲大人的遗言。”

“这……这话太不吉利了。”

"哈哈……"

"那为何要搞得那么神秘……"

"我也不懂啊。"

"哎？"

"我只是听父亲说他想说的话。您就放心吧。父亲大人挺留恋这个世界的，不会轻易去阴曹地府的。"

昌幸到底留恋这世界上的什么呢？被困在这样一个荒凉的地方十余载，还有什么好留恋的？

（男人的心思真是难懂，我总是搞不明白他们在想什么。）

年迈的山手殿倍感孤独落寞。

回程的船上，加藤清正的病情不断恶化。他到达熊本城是五月二十七日。

第二天傍晚时分，清正对饭田觉兵卫说道："该结束了吧。"

恐怕是确信大限将至了吧。觉兵卫无言以对，只因他亦有同感。

船上的清正吐了三四次血，整个人衰弱不堪，回到熊本简直都算得上是奇迹了。倘若换了别人，肯定没下船早就一命呜呼了。

熊本城本丸南面楼台之上的某个房间临时充当了清正的病房。这里有适宜赏月的眺望楼，而且被三五层高的楼台和郁郁葱葱的树林环绕。

一打开清正房间的拉门，只觉得室内都被夏天林立的树木所独有的浓绿染上了色，时不时就可听到夏日黄莺的啼叫。

"阿觉。"清正被病痛折磨得明显消瘦的脸庞上浮现出一丝复杂的苦笑，"我输了。"

"啊？"

"我输了，没活过大御所呀。"

觉兵卫无言以对。

"一切都要结束了……一切都要结束了啊。阿觉……"

"嗯？"

"我死之后，你该做哪些事情……你可明白？"

"是，我明白……"

"我把所有事都和你说了。我无法再实现心愿了。就靠你了。"

"我都明白。"

"右府大人真是可怜……"

说到这里，清正闭上了眼睛。

觉兵卫黯然看着他闭上双目，眼角流出一行闪亮的泪水。

第拾贰话

庆长十六年六月三日的夜晚，纪州九度山的真田府邸。

是夜，真田昌幸、幸村父子支开了别人，继续秘密交谈。

大概两小时后，昌幸开门吩咐道："拿酒来！"

山手殿睡下了，幸村的妻子便没再劳烦侍女，亲自备好酒送到昌幸房间。昌幸此时都可以喝点酒了，足见病情确实见好——幸村和家臣们皆这样觉得。不仅如此，昌幸的食欲都跟着好了，精神不错，嗓音更是洪亮了些。

幸村的妻子甚至向山手殿说道："看来，很快就会恢复健康了呢。"

两天前，山手殿去探望昌幸时，正好瞧见他搂着从上田跟来的侍女三津，把手伸到她的衣服里面。

山手殿大惊之下，立刻躲开，暗叹昌幸这家伙真是惊人。然而，她半点怒火都没有。她从年轻时就烦恼昌幸的风流性子，但这时瞧见这个六十有五的老头用枯瘦的胳膊搂着三十出头的三津那丰满的身体，竟然很是欢喜。

是夜，昌幸吩咐幸村把三津喊来。他小口品尝着三津斟的酒，和幸村聊着。真田父子只知道浅野长政去世，尚不知加藤清正病危。但是，大坂方面接到了清正病危的消息，丰臣秀赖每日都去佛堂，对着亡父太阁秀吉的灵前祷告。话说回来……

夜深了。幸村劝道："别喝了吧。"按住了父亲端着酒杯的手。

"哎？"

"明天再喝吧。"

"那好吧。"

真田昌幸点了点头，扶着三津的肩膀去了厕所。而后睡下。

昌幸睡着，三津一直给他按摩腰和足部。这是每晚的功课。

三津是内山惣藏之妹，三十四岁。内山惣藏现下投奔了沼田的真田信之。无论谁都不会说三津是个漂亮的人，但是她性格开朗，言谈举止招人喜爱，而且腕力了得，擅长骑马，舞得长刀。昌幸重病时，大小便甚至都无法自理，幸好三津主动承担了这项任务，每天抱着昌幸如厕。昌幸的身材本就矮小，又被病魔搞得像孩子一样消瘦，但三津的膂力总归挺惊人的。

昌幸甚至称她是"真田家的巴御前"，不再喊她"三津"，直接称呼"阿巴"。巴御前是源义仲的爱妾，骁勇善战，屡屡以"部将"的身份立下战功。

"喂，阿巴……"真田昌幸享受着腰部按摩，问道，"倘若我再临战阵，你就穿上盔甲，挥舞长刀随着我出征吧，好不好？"

"啊，我……"

"好不好呀？"

"大人，您又开我的玩笑……"

"我没开玩笑，我问你呢，想不想随我出征？"

"想啊，想。"三津仿佛哄着孩子，"很高兴随您出征。"

"真的？"

"当然是真的啦。"

"那就太好了！"昌幸笑着闭上双眼，将胳膊伸向后方，摸着三津那结实的大腿。三津任由昌幸摸索，继续给他按摩。昌幸渐渐睡去，嘴唇突然微微一动，"阿德……"

睡梦中的昌幸呼唤着一个人的名字。

二十余年之前，阿德生下了昌幸的女儿於菊。於菊六岁那年，名胡桃城被攻陷，阿德就此死去。这就是阿德的故事。

昌幸连做梦都在想着阿德……

三津没有在意，继续缓缓按摩他的腰和足部，直到昌幸睡熟。

大概是夏天的缘故吧，白蚊帐内的三津给昌幸按摩许久之后，退回走廊时全身都湿透了。三津从主厨房走到室外，来到放盐的房间后的石井附近，脱掉衣服开始冲凉，洗去了身上的汗水。

闷热的盛夏之夜，没有风。然后，她便回到侍女们的房间内睡了。

六月四日清晨，周围尚有些暗，三津就醒了。

老人总是很早就醒，真田昌幸虽然昨晚喝了些酒，但天没亮就醒了。好像是被小便给憋醒的。

倘若三津来晚了，昌幸就会抱怨她磨磨蹭蹭，甚至对她发火。昌幸尚未病愈，所以家臣们天天都会到他的房间和山手殿房间之间的一个小屋里轮流守夜。但是，三津到来之前，昌幸总是一直憋着不去厕所。所以，昌幸醒来之前，三津一定要到。

就算昌幸故意拿她逗趣，她都不当回事，这简直就是哄孩子嘛。

十七年前，三津嫁给了真田家的家臣龙口与左卫门。丈夫三年后便患病身亡，次年女儿又患病死了。然而，她从不表露悲伤之情，平日里总是精神百倍，这让幸村相信她是个坚强的女人。

山手殿惊讶昌幸的好色之举，对三津却根本没有怒意。

九度山的府邸自然不比上田城内的府邸宽敞。昌幸房内需要打理的一切事物，大家都看得一清二楚，而且听得真真切切。

三津旁边床上的侍女伊佐睁开眼睛，对收拾停当的三津点了点头，大概是赞许她的辛苦吧。三津颔首相报，向紧邻主厨房的木板间走去。主厨房中，正有两个仆人给炉子生火。拂晓的凉意从敞开的窗口袭来。

三津来到土间一隅洗了洗脸，整理好头发，便向昌幸的房间走去。刚走进值夜班的小房间，家臣益子辉四郎便轻轻说道："三津小姐，昨晚好像没睡好呢。"

"你说的是老爷？"

"嗯。"

"他醒了？"

"嗯。"

"好。"

三津轻轻打开隔扇，走了进去。

只见昌幸的脑袋一抬，离开了枕头，说道："我都等烦了呢。"

"来晚了，真不好意思。"

"好了，早上好呀！"

好像是要憋不住了一样，昌幸急急忙忙坐起，三津立刻靠上前去。

突然，出了变故——

第拾叁话

三津走到真田昌幸身边，搀扶着他。

平时，昌幸被她搀扶时总会开些玩笑，甚至伸手乱摸三津的胸、腰。然而这次，昌幸快要扶着她的胳膊站起来时，突然微一惊呼，语调奇怪。

三津笑道："您又怎么啦？"以为又是大人清晨时习惯开的玩笑。

昌幸总是故意呻吟、怪叫，比如"啊……好难受呀！我快要死了"或者"我要留遗言了，快去喊左卫门佐来"，然后一头栽倒。三津和家臣们最初自然惊慌失措，后来知道是昌幸故意戏弄，就没人再当回事儿了。

这一次自亦如此。三津说道："快点站起来吧。"试图将昌幸拉起，哪知昌幸的身体反而后仰，带着一种很奇怪的声音，不像呻吟也不像喊叫，只像是某种奇怪的鸟儿的啼鸣……突然，昌幸的头无力地耷拉在了三津的臂上。

"喂，大人……"三津吓坏了。

不是在捉弄人。安房守昌幸压在自己胸前的脸，已经神色大变。

"大人？"家臣益子辉四郎察觉卧室中出现异常，立刻从外面冲进，"怎么了？"

"大人他……大人他……"

"啊？这……"

益子一眼看出异常，慌忙向走廊跑去。三津兀自拼命地喊着昌幸。昌幸的脸上渐渐失去血色，三津登时明白了情况。

首先赶来的是山手殿，然后是幸村夫妇和他们十岁的长子大助。

仰面躺在床上的真田昌幸紧紧咬着嘴唇，翻白的双眼流露出他瞬间的痛苦。

"父亲……"

幸村低唤着，伸手帮父亲合上双眼，反复抚摸着父亲的眼睛。

山手殿甚是平静，一句话都没说，只是在幸村身边久久凝视着昌幸的遗容。

清晨，窗外传来丝丝凉意。适才昌幸醒来之后，曾让益子辉四郎打开窗户。此时此刻，小鸟尚未啼叫，太阳犹未升起。

益子辉四郎立刻开始通知各位重臣。他耳中犹自残留着昌幸的声音，却任由泪流满面，跑上后面的石阶，先去通知长门守池田纲重。

卧房中，双目紧闭的真田昌幸的脸上渐渐洋溢出另一个世界的静谧，变得那样安详。

"竟然就这样走了……"

幸村听见了山手殿的喃喃低语。

安房守真田昌幸就这样结束了六十五年的人生。近来，昌幸每天都和幸村密谈，身体似乎大有恢复。然而，他夜里总是睡得很晚，像是反复推敲着什么，隔壁值夜班的家臣们经常听到卧室中的昌幸嘟嘟囔囔。

是太亢奋了，所以失眠了吧。这失眠没有让他难受。昌幸似乎很享受这种不眠不休思索各种问题的状态。然而，尚未病愈的昌幸根本难以负担这种持续的极度亢奋，所以突发了心脏病。

真田幸村好像明白了这一点。他一直觉得父亲恢复得很好，做梦都没想到会有这种意外。幸村闭上眼睛，沉默不语，一动不动。

池田长门守来了。然后是原出羽守、小山田治左卫门、关口忠右卫门、洼田作之丞、大濑仪八、高梨内记……家臣陆续抵达，从卧室到小房间、走廊里，不知从谁开始，大家纷纷哭了。

第拾肆话

真田昌幸死后十余日——六月十七日，大名堀尾吉晴病逝。

堀尾吉晴是加藤清正、福岛正则的老朋友，丰臣秀吉尚以"木下藤吉郎"之名给织田信长办事时，他就是秀吉的家臣了，当时名曰茂助。吉晴比清正、正则年长一些。清正以幼名"虎之助"当秀吉的小厮时，吉晴是俸禄一百一十石的家臣。他的仕途十分顺利，后来当了远州浜松的城主，封地十二万石，后来带着五万石的俸禄退隐越前的府中城，享年六十九岁。

这个人显然是丰臣家培养的大名之一。秀吉生前，此人位高权重，但自从关原之战后就不再抛头露面，因之几近被世人遗忘。

吉晴去世的六月十七日，熊本城的加藤清正自知来日无多，打算让儿子虎藤继承家业，便派饭田觉兵卫去骏府征求德川家康同意，同时又派大坂府邸的和田备中守去江户请示将军秀忠。

加藤清正有两位夫人。其中一位是肥后南乡人玉目丹波守的女儿阿节——日后的正应院。她是清正的糟糠之妻，和清正育有一儿一女，长子虎藤现年十一岁，就是后来的加藤忠广。但他现下毕竟只是个少年，所以清正的家业不免有些隐患。一旦家康和秀忠寻出些理由拒绝，加藤家肯定甚难辩驳。因此，清正叮嘱饭田觉兵卫，他死后无论出了何事，加藤家都要有个思想准备。

清正甚至叹道："这种时候有老臣阿觉陪着虎藤，绝对是最有力的支柱呀。"

这样一来，清正再没精力去打理丰臣家的事了。

只有清正才能直面关东，将丰臣秀赖保护到底。就算年幼的虎藤顺利继承了加藤家的一切，却毕竟无法发挥和父亲一样的作用。这一点显而易见。二条城会面时，加藤清正和浅野幸长向大御所德川家康表明了立场——我们是丰臣家的臣子。特别是加藤清正，他甚至没有出席诸大名的宴席，而是一直陪着秀赖。他做梦都没有想到死亡会来得如此之快。倘若他有所觉悟的话，二条城会面时恐怕会以另一种姿态来面对家康。

目前，虎藤在江户的加藤府邸。和其他大名一样，为了表明对德川幕府的效忠，清正将他当人质送到了江户。而且，虎藤早就和将军秀忠的养女定下婚约。这位养女是蒲生秀行和家康三女振姬的长女，所以是家康的外孙女。对秀忠来说，就是外甥女。

这本是家康有意塞给清正的政治婚姻，但现下对加藤家真是具有莫大的意义。清正死后，家康总不会擅自废除婚约吧？只要不废除，就难以对外孙女婿加藤虎藤说不。然而，对手毕竟是德川家康。清正自然不敢有半分疏忽。

另外，正应院生下的尼姬和家康的第十个儿子赖宣缔结了婚约。这同样是家康有意促成的。

由此可知家康真是苦苦拉拢清正。德川赖宣现有东海三国（骏、远、三）的五十万石封地，曾跟兄长义直联袂陪着老父家康上洛。义直和赖宣的年龄都跟虎藤相仿。二人是后世将军的骨肉至亲，无疑是德川幕府的中坚力量，所以家康对这两个爱子寄予厚望。

这两个婚约都是孩子幼年时便定下了。尤其是庆长八年确定的尼姬和赖宣的婚约，那是赖宣出生后的第二年。尼姬比赖宣年长一岁。

德川家康对清正确实用心良苦，他甚至让清正迎娶了他的养女。这个女子（后来的清净院）是家康的亲戚水野忠重之女，家康硬把她当养女推给了清正。就像丰臣秀吉把妹妹朝日塞给家康一样，清正唯有无奈接受，却一直没带她回熊本。

清净院一直留在大坂的府邸。以德川幕府的角度看来，她才是加藤清正的正牌夫人，但她没有给和清正生下一儿半女。史称清正对这位正牌夫人相当提防，就算同寝时都是刀不离身。其真假暂且不论，但我们的确很难想象他们会有正常夫妇的生活状态。

对了，加藤清正和侧室——后来的本觉院——育有古屋姬和忠正（早夭）两个孩子。大概五年前，古屋姬嫁给了上州馆林的城主榊原康政之子康胜。这自然又是家康撮合的结果。榊原氏是德川家嫡系大名中首屈一指的名门。

就是说，加藤清正跟关东方面有着千丝万缕的关系，但这些都不是清正主动求来的结果，而是家康故意撮合。

所以，饭田觉兵卫安慰清正道："您就别挂虑了……"

只见清正仰起憔悴不已的脸庞，死死盯着觉兵卫，说道："我没想到会比大御所先走一步，不过大御所也顶多再活五年、十年了吧，你想想看。"

"啊？"

觉兵卫登时会意。清正死后，家康不见得会立刻斩断和加藤家的关系，但家康死后又如何？清正让觉兵卫想的就是这件事情。

清正的担忧到底成了现实。虎藤（加藤忠广）顺利继承了清正的一切，出任加藤家当主。然而，家康死后的宽永九年，他受到幕府刁难，被流放出羽的庄内地区，只剩下万石俸禄，直至郁郁病逝。

家康撮合的三段姻缘之中，只有尼姬和赖宣夫妇的感情美满。赖宣后来就任了和歌山城的城主，尼姬以纪州家正室夫人的身份，于六十六岁离世。加藤忠广被幕府刁难之时，德川赖宣曾为搭救爱妻之弟而四处奔走。这样算来，赖宣和尼姬所生的纪州家接班人德川光贞的身上，无疑带有加藤清正的血统。而光贞的第三个儿子——后来当上德川幕府第八任将军的德川吉宗——同样如此。加藤清正肯定至死都想不到女儿的孙子会当上幕府将军。

德川吉宗其实就是加藤清正的曾孙。

六月十九日，饭田觉兵卫离开熊本，走海路前往大坂，然后和大坂府邸的和田备中守一同沿东海道奔向骏府、江户。

觉兵卫本想推迟几天再去，但清正不准。

"阿觉，别再说了。我快要死了，这是肯定的事。你要早点去……越快越好……"

觉兵卫自然明白要妥善安排好后事，但他同样明白清正怕是撑不到他回来了。想到这些，觉兵卫片刻都不想离开清正。

"我没有要嘱托的了，你明天就离开熊本。"十八日的日暮，加藤清正凛然对觉兵卫如此说道，继而笑着宽慰道，"你这家伙，半截身子都埋进黄土了，我只是先去等你嘛。咱们早晚会再见面的。"

第拾伍话

六月二十三日拂晓时分，在加藤清正卧室外值夜班的家臣奥田孙七像平常一样走进卧室，察看清正的情况。

他以前从不这样做。以前的值班者都是等着清正醒来时喊他们进去，但现下的情况不同了。清正甚至连喊隔壁房间内的值班者的力气都没了。

卧室旁边的另一间房内，常备两名医生。

奥田孙七是半夜接班的，从那时开始便绷紧了神经执勤。接班时，加藤清正曾让他帮忙小便，之后微微点了点头便又睡了。

危在旦夕的清正不让女人靠近他的床，只允许夫人（正应院）每天来探望两次，在清正枕边照顾大概四个钟头。只有这个时候，清正才会听进去夫人的话。据医师内藤尚益说，清正那时虽然有些不好意思，但总会像孩子一样跟夫人撒娇。

奥田孙七蹑手蹑脚走进屋内，从白色蚊帐外面靠近清正的枕头，观察他的呼吸状况。如果没有异常，接下来便会打开通风的小窗户。

　　天渐渐亮了。门窗紧闭的室内只留下夏夜的静谧。卧室烛台上大蜡烛的烛光，映照着仰面而卧的加藤清正的侧脸。

　　注视着清正侧脸的奥田孙七突然惊呼一声，惊慌失措，卷起蚊帐冲了进去。

　　"大，大人……"

　　奥田孙七表情突然僵硬。他将手凑近清正的鼻孔，不停呼唤，忽又哀号着冲出蚊帐，去喊值班医师。

　　主计头加藤清正的意识模糊了。很快，血都吐不出来了。他就这样渐渐失去了全部的意识，次日凌晨两点永远离开人世，时年五十岁。

　　加藤清正一直反对让家臣陪葬，只要有机会便会对家臣们说道："大家肯追随我，我真是感激万分，但若随我而死就是愚蠢至极了。我不喜欢大家那样做。如果大家真这样想跟着我，那不如带着这份情意，永远照看加藤家吧！"

　　大家都知道清正的这个想法，但到底是有两个人主动殉葬了。

　　其中一个是大木土佐守，他本来是佐佐成政的家臣，成政逝世后被清正收留。清正很赏识他的才华，给了他三千石的俸禄。佐佐成政是上一任的熊本城主，但他治理无方，激怒了丰臣秀吉，结果被收回封地，黯然去了摄津的尼崎地区切腹自杀。土佐守幸蒙清正的收留才得以活命，故此刻唯有殉葬以报恩情。

　　另一个是朝鲜人，名唤金官。加藤清正纵横朝鲜之时，金官结识了他，随后便跟回熊本当了清正的家臣，俸禄二百石。此人以前的名字是良甫鉴，曾担任朝鲜后宫的财务官员。

　　加藤清正的葬礼一直等到十月十三日才举行。

那一天，他的儿子虎藤从江户回到了熊本。清正的遗体被送到饱田郡的中尾山下葬，便是现在的本妙寺。

德川家康和将军秀忠都同意由虎藤继承加藤家，但要求加藤家派二十名重臣前往江户府邸。而且，虎藤的婚约没被解除。三年后的庆长十九年，他迎娶了将军秀忠的养女。

"这样就好。"

悲痛中的加藤家暂时松了口气。

话说回来，清正宠爱的厨师片山梅春下落如何？

他一直待到清正的葬礼结束，才恳求道："我不想再从事这一行了，希望让我离去。"随之离开了熊本。

谁都没察觉梅春是甲贺山中忍者。

加藤家上下都觉得死去的主公是那样喜欢梅春的料理，所以厚赠了将要离开熊本的梅春。

加藤家内，只剩下饭田觉兵卫手下的伴野久右卫门这一个山中忍者了。此后，加藤家的一切内情都由他告知关东。

将清正病殁之事通知九度山的，是真田草者曾根十藏。目前，十藏由纪见峠附近的忍者小屋调度。他偷偷来到真田幸村卧室的地板下面，发出暗号。

幸村被他惊醒，摸索着打开机关暗锁，将脸凑向柱子一角上的小洞，问道："十藏？"

"是的。"

十藏用竹丈尖头夹着密函，从小洞中捅了上来。薄薄的纸张被卷成筷子形状，而后又涂了蜡油，故而可以通过小洞。密函来自阿江，概述了从大坂地区听说的加藤清正死去一事。

曾根十藏趴在地板下面，等待幸村的回音。但是，一直没有幸村的动静。他抬头一看，那个小洞亦没堵上。

"咦？"

幸村沉默得太久了，十藏深感不安，只好再次发出暗号。

只听幸村幽幽问道："谁到下久我报的信？"

"中原丈助。"

"唉……"

幸村再次沉默。十藏同样是从丈助那里听到加藤清正去世的消息，所以很理解此时的幸村。清正之死肯定对幸村打击不小。

许久之后，幸村才喊道："十藏……"

"是。"

"回去吧。让阿江把信交给佐助。"

"好的。"

曾根十藏离开后，幸村一动不动地坐在床上。他一脸沉痛，神情微有变化。

他反复读着阿江的密函。每读一遍，便会深深一叹。

第拾陆话

昌幸、幸村父子经历了战国末期的激烈变动，凭直觉坚信兵祸很快就会重来。

真田幸村决定让母亲山手殿和池田长门守等家臣去沼田的兄长信之那里。其中自然有不想从命的家臣，怎奈幸村坚称这是父亲昌幸的遗言。

信之得知父亲去世，立刻求幕府让他去九度山看看，可惜幕府不准。幸好幕府对山手殿和昌幸众家臣回到沼田之事倒挺大方。

山手殿和家臣们办完诸事离开九度山时，几乎都是这年的秋末了。

留下陪同九度山的幸村夫妇和他们孩子的家臣只剩下高梨内记和青柳清庵，另有侍女三名、小厮两名和向井佐助。

真田昌幸的遗体按照纪州浅野家的安排，暂时下葬九度山附近学文路的一间小寺。纪之川南岸的学文路面朝高野山北麓，是高野山的七个出口之一。

幸村整日沉默不语，犹如突然哑了。他相信天下不会再太平下去了。德川家康肯定不会放任风华正茂的丰臣秀赖不管。这一点上，幸村和亡父昌幸的看法完全一致。

昌幸只是听了幸村描述去了二条城的秀赖，就感叹道："我们若是家康……不，是关东方面的话，肯定立刻就知道该怎么办了。"

家康不会直接派兵攻陷大坂，只会设法让秀赖离开故太阁的大坂城。京都和大坂息息相关，这迫使他一定要把丰臣家挪到别的地方。只要丰臣家从命，就不会出现战争。譬如，丰家臣若去了常年积雪的奥州甚至北陆地方，就算家康死了，德川幕府都足以将丰臣家的势力完全消灭。但是，丰臣秀赖和别的大名不同，他流着家康十年前的主公的血。倘若没有特殊理由，德川家无法让他们搬到别的地方。如此一来，就唯有制造理由。

真田昌幸断定他们会这样做。

面对关东方面制造的难题，丰臣家会不会老老实实服从？

二条城会面时，加藤清正和浅野幸长当着德川家康和诸位大名的面，清楚表明了对丰臣家的忠诚。他们的做法，不啻是要告诉家康："我们就是要这样陪着右府大人，希望您别再做不合情理的事了。右府大人都上洛了，恳求您念着旧情，共谋未来的繁荣昌盛！"

清正拥有称霸九州的熊本城，幸长的封地纪州则是紧挨大坂。而且，这两人对家康的态度都是一望可知——倘若你蛮不讲理，我们当然不会坐视。

"家康不会听之任之。"真田昌幸曾对幸村说道，"你懂的。"

"大御所恐怕只有十来年的寿数了。"

"不错，家康比谁都清楚这一点。"

死亡不会只降临到丰臣家培养的大名身上。就拿德川家的实力派大名来说吧，本多忠胜很早就病逝了，控制佐和山城的井伊直政十年前亦告病殁。所有跟随家康的老臣都不会长生不死。

德川家康正是古稀之年。当时跟现下不同。就算身体健康如故，都有随时死去的可能。家康肯定想抓紧时间让丰臣秀赖离开大坂，以便让亲生儿子赖宣控制该城，同时派可靠的重臣辅政，一举稳定上方（京都、大坂）的幕府势力。

这便是真田幸村对时势的理解。哪知加藤清正竟突然死了。这样一来，就难以估计骏府城内的德川家康的想法了。

昌幸、幸村父子经历了战国末期的激烈变动，凭直觉坚信兵祸很快就会重来。

倘若有浅野幸长和加藤清正共同协助丰臣家的军队，真田父子一定会抓住这难得的时机，逃离九度山，前往大坂城，和关东方面抗争到底。正是这个想法，让死去的安房守昌幸一直带着希望。

但是，清正死了，形势大变。

（大御所的算盘，肯定是不会变的……）

幸村独自思忖着。

——家康会何时出手？

——竟然失去了加藤清正。

这些事让幸村甚是苦恼。

山手殿和家臣们回到沼田，九度山的府邸重归静谧，宛如无人居住。就这样，他们迎来了阴郁冬日的足音。

第三年（庆长十八年）八月二十五日，浅野幸长猝死。幸长英年早逝，只有三十八岁。世间盛传他是被毒杀的，但一直无人知道真伪。

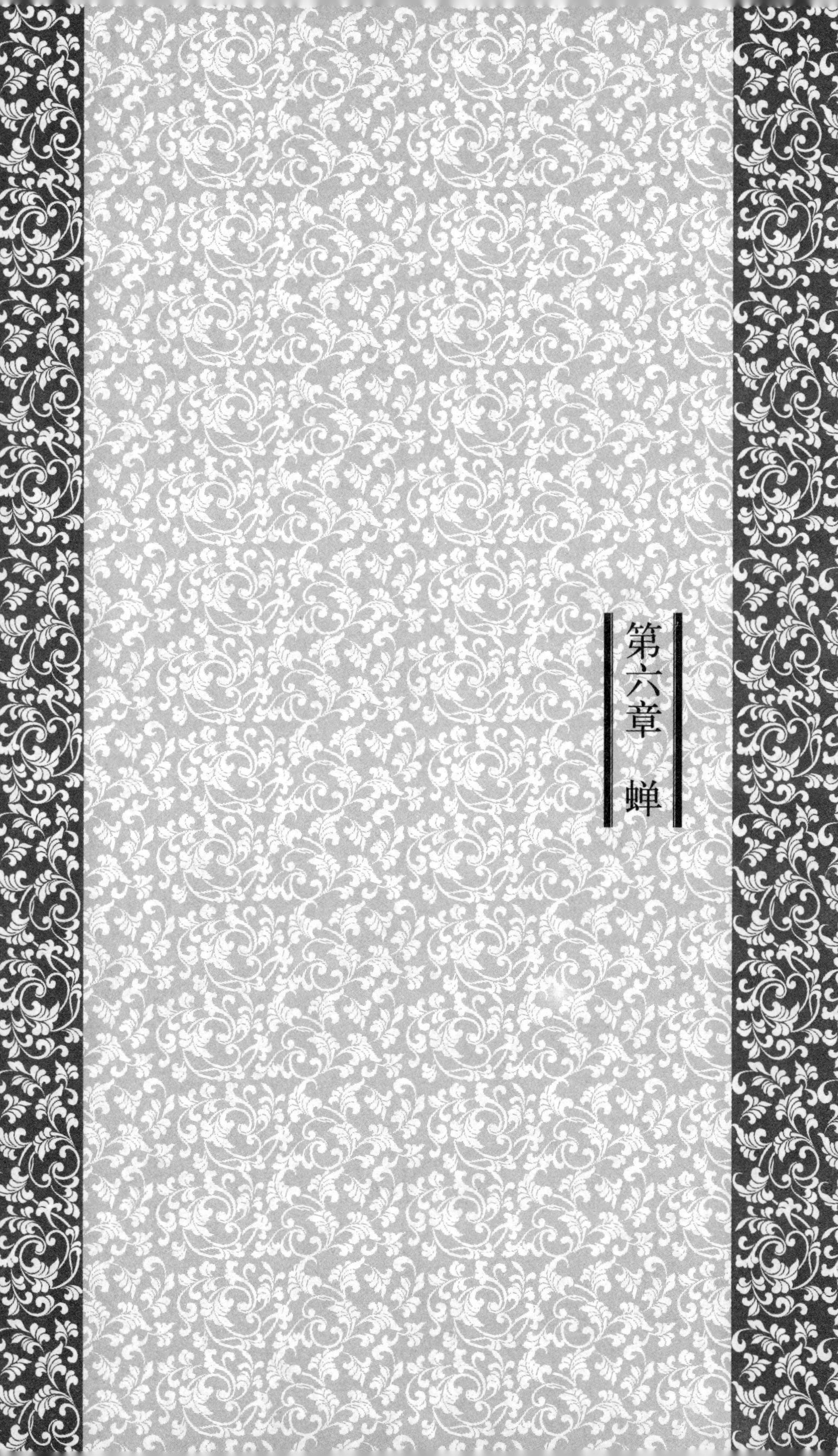
第六章　蝉

第壹话

"樋……樋口……角兵卫大人？"

庆长十九年（公元 1614 年）的盛夏，安房守真田昌幸病逝于纪州九度山整整三年了。

一天傍晚，上州沼田城东的天桂寺旁，出现了一个悠闲的彪形大汉。那是一个身形巨大的浪人。此人头戴破旧的草编斗笠，身穿满是汗渍、油渍、污垢的麻质便服，下穿同样的和服裤裙，身背小包裹，赤脚穿着一双草鞋。浪人手持一根粗青竹拐杖，腰上大刀的刀鞘都掉漆了。

有两个商铺的男人和他擦肩而过，忍不住停下回望浪人的背影，嘀咕道——

"啊，臭死了……"

"真恶心！"

浪人从商铺鳞次栉比的街道踏进武士居住的街区。

伊豆守真田信之从上田搬到沼田，开创真田氏的分家，屈指算来足足有二十四年了。这一年，信之四十九岁。

信之穷二十四年的光阴，将沼田城下治理得井井有条，百姓一致赞誉他是罕见的好主人，纷纷自叹幸运，都很满意信之推行的仁政。

真田信之曾留下一段逸闻。

某年隆冬，沼田城下了源寺的僧人源誉进城谒见信之。"让您久等了，真不好意思呀。"话音未落，信之便出现了。源誉和尚一看，只见信之赤着脚，皲裂处都渗出了血。源誉和尚大吃一惊，想不到信之的生活竟如此简朴，慌忙脱下袜子。结果，信之笑着让和尚穿好袜子，说道："大名就该是这样子嘛。"

闲话就此打住。却说那个浪人横穿了武士居住的街区，来到了沼田城的外护城河一带。护城河对面就是俗称"外曲轮"的地方，都是身份高贵的家臣们的住宅。要想去那一带，就要借助外护城河上的桥，而且要通过哨所。

臭烘烘的浪人踏上了桥。

哨所中的两个值班哨兵立刻跑向桥畔，喊道："站住！站住！干什么的？"

这个浪人受到怀疑，真是一点都不奇怪。别说是这个浪人了，所有上桥的陌生人都要接受盘查。这是哨兵的职责。

"你要去哪里？"

浪人闻言，对面前挡路的哨兵吼道："滚开！"

"你敢让我们滚开？摘下斗笠！"

"少废话！"

"你小子！"

哨兵大怒，伸手要去摘浪人的斗笠。只见那浪人巨大的身躯一动——

"啊……"

那个哨兵离开地面，掉进了护城河中。

"浑蛋！"

另一个哨兵跑进哨所，拿着长矛返回，同时大声呼喊求援。

桥上的浪人突然冲哨兵喊道："喂，万藏！"而后摘下斗笠。

"啊？"哨兵津田万藏目瞪口呆，"您，您是……"

万藏本来认识眼前的浪人，一时间却认不出那完全变了样的容貌和体态。

浪人微微一笑，凌乱的胡须中露出白白的牙齿。

"好久不见。"

"樋……樋口……角兵卫大人？"

"认出来了？"

真的是樋口角兵卫。

"认，认出来了。"

津田万藏当长矛足轻时，尚未离开沼田的角兵卫曾跟别的足轻一同学习如何使用长矛，但他不知道樋口角兵卫伏击铃木右近却反被对方弄瞎右眼之事，故而没有一下子认出右眼蒙着灰布眼罩的角兵卫。

掉到护城河里的哨兵抓着石墙的墙角，愕然看着角兵卫和万藏。

这个新来的哨兵确曾听说樋口角兵卫的名字。

"十五年了，我又回来啦，沼田城弄得挺不错嘛。"

"是……"

"我母亲好像来沼田了，她住哪里呢？"

"啊，我这就带您去。"

“你得站岗吧？”

“我去喊别人来就行了……”

“不用，告诉我地方就好。”樋口角兵卫向万藏打听清楚了母亲久野住的地方，摘下斗笠，“再见了！”

万藏茫然目送角兵卫离去，忽听那个从护城河里爬上来的哨兵问道：“那，那个人就是樋口角兵卫大人啊？”

“是的。”

“哎呀，太吓人了，他是人吗？”

说话的哨兵面色苍白，兀自吓得牙齿打战。

“但是……他的确老了。”

“哎？”

“都有白头发了呢。”

“太，太吓人了……”

“其实，他的可怕远远不止如此。”

“唔……”

“幸好没人看到。好了，你快去换衣服吧。”

“那好，这里就交给你了。”

“只是掉到护城河里喝几口水，真是万幸。换了以前的角兵卫大人，早让你脑袋搬家了。”

“太可怕了！”

“但是……”

“哎？”

“角兵卫大人简直熏死人了！”

第贰话

沼田城三丸西部的真田信之府邸紧挨着内护城河，和二丸隔河相望。

内护城河沿岸依次排列着重臣们的府邸，其中就包括樋口角兵卫的母亲久野的府邸。久野和姐姐山手殿一直共同生活，直到去年六月三日清晨，山手殿突然辞世，终年六十五岁。她跟丈夫昌幸离世的月份相同，而且忌辰只差一天。

久野数年前患病，从九度山搬到沼田。此后，身体状况日见好转，正想着姐姐肯定孤单，打算求伊豆守大人让她再回九度山，结果就听到了安房守昌幸辞世的消息。后来，池田纲重等家臣陪着山手殿回到了沼田。那之前，久野一直不知道儿子角兵卫从九度山逃走的事情。

知道真相后，久野号啕大哭。

"不想让你担心才没告诉你，以为他会回到九度山的，但是……"

山手殿搂着跟自己一样年迈的妹妹，安慰着她。

久野本来是想安慰和鼓励姐姐的。姐姐的丈夫溘然长逝，只得艰难回到长子信之的身边。但是，久野其实是一个不依靠别人就无法独自活下去的人。换言之，她是个草率散漫之人。

山手殿（旧名典子）和久野是京都朝臣今出川晴季的庶出女儿，典子嫁给武田家的真田昌幸时，久野跟着前来，嫁给了武田家的另一个家臣——下总守樋口鉴久。

樋口角兵卫看似是下总守和久野的孩子，实则不然。如前所述，他其实是好色的真田昌幸染指小姨子之后的结果。

老实的樋口下总守是否相信角兵卫就是亲儿子？莫非他明知是真田昌幸的孩子，却佯装不知？这个问题一直没有答案。

武田家灭亡时，樋口下总守陪着武田胜赖逃到天目山自杀。当时，久野和角兵卫母子二人被下总守说服，去了上州的岩柜城。

樋口下总守是这样对妻儿说的：“无论到哪里，我都要追随胜赖大人。你和角兵卫就跟安房守大人逃吧。”

年轻时的久野水性杨花，跟她有绯闻的不只是昌幸一人。但是，山手殿相信樋口角兵卫就是丈夫昌幸和妹妹的孩子。所以，久野曾经度日如年，对昌幸倾诉道：“我恐怕会被姐姐杀掉！”

真田昌幸和足轻的老婆阿德生下於菊，又跟某个女人生下幸村，而且谎称幸村是山手殿生的。幸村出生的同年，山手殿生下信之，所以幸村就被当成是第二年出生的。对武将的家庭来说，男孩子越多越好，所以山手殿只有强忍这一切。嫉妒心极强的她甚至一度要暗杀阿德。但是，跟着丈夫来到九度山之后，她昔日的那些苦恼竟然都消失了。哪怕看到年迈的昌幸调戏侍女，她都没有了以前那种烦躁。就算是亲儿子信之，都对重回沼田的山手殿的变化非常讶异。

　　山手殿自称戴罪之人，不想进城给信之增添麻烦，不管怎样就是不肯到城内的府邸居住，而是去了妹妹的狭小府邸，直到黯然死去。

　　临死前，她曾对久野说道："我以前特别讨厌左卫门佐大人，想不到现下竟十分想他……"她以前总怕宠溺次子的昌幸会让幸村当接班人，每天都被这想法折磨得坐立不安。这番来到沼田，立刻被亲儿子信之的威势镇住，甚至对久野苦笑道，"信之变得如此优秀，我都不敢像以前那样随随便便跟他说话了。"

　　直到去世的前几日，山手殿都没有表现异样。安房守昌幸的忌辰那天，她只是去城内的居馆中做了做佛事。德川幕府一直没有宽恕真田家，所以信之根本不敢给父亲公开做佛事。父亲昌幸逝世时，信之求幕府让他去九度山见见遗体，对方一口回绝。

　　隐退的德川家康姑且不说，现任将军秀忠确实难以忘怀关原之战时从上田的真田父子那里受到的屈辱。无论何时何地，只要谈到昔日进攻上田之事，城府颇深的将军秀忠便会大发雷霆，十分不快。

　　山手殿去世的前夜，曾感慨道："大人去世都三年了，时间过得真快啊。"然后便去睡了，和平时没有区别。

　　次日一早，山手殿的卧室传来了铃铛的响动。每当有事，她就会摇铃召唤侍女。走廊对面房内的侍女走进山手殿的卧室，只见山手殿正贴地趴着，微微呻吟。

　　"啊！夫人……"

　　侍女跑去抱住山手殿，忍不住失声惨呼。

　　山手殿面容抽搐。不是简单的抽搐，眼睑、脸颊和嘴唇就像有强风席卷而来一样剧烈颤抖。等久野赶到时，那抽搐都停止了。山手殿没有了呼吸。

"连一句话都没……"

久野甚至都没有听到姐姐的遗言，只得独自啜泣。

那之后，久野只要想起山手殿，就会抱怨道："真想快点儿死了呀，真想快点死。"这竟然成了她的口头禅。

然而，她的食欲旺盛如故，肥胖的身体全然不见消瘦。信之给这位姨母调来了家臣、侍女和仆役，照顾得很是周到。

樋口角兵卫正是想要回到这样的母亲身边。他都四十四岁了。

第叁话

"真的？真的是角兵卫？我，我的孩子呀……"

看见突然来到屋内的樋口角兵卫，久野惊得脸都变形了，号啕大哭。侍女、家臣和小厮都是目瞪口呆，这真不是那个素来淡定的久野了。

久野听说角兵卫回来了，立刻从房间冲出。

这里没有人认识角兵卫，所以家臣不让他进去，向久野禀告道："来了一个自称是角兵卫的衣衫褴褛的浪人。"

"啊？那个人的右眼是不是坏了？"

"用布挡着，看不见。"

"哎呀！"

肯定是角兵卫！久野从屋里跑了出来。

"母亲大人……"

角兵卫同样说不出话了。果然，只有眼前的母亲才会对他倾注无限爱意，难道不是这样？

"好，好，回来了就好。"

"抱歉。"

"你从九度山逃出来了？"

"不是，这……"角兵卫的独目中闪过一丝狡黠，但只是瞬间之事，接着说道，"只是……只是，我非常想见您，很想早点见到您呀。"

"噢，噢……"

"但是我一离开九度山就病了，所以这才……"

角兵卫泪流满面，厚着脸皮撒谎。

"啊？病了呀……"

"一度觉得要死了呢……"

"我不知道，一点儿都不知道。知道的话，我就去照顾你了。"

从九度山逃出之后，角兵卫到底去了哪里？

得知樋口角兵卫回来了，真田信之露出一丝苦笑，对正室小松殿说道："角兵卫哪里像个会生病的男人？他根本就是野兽。对野兽来说，隐藏山野才更符合其本性嘛，对吧？"

"这该如何是好呢？"

"你说角兵卫的事？"

"是啊。"

"得向江户和骏府报告一下，但是，这又没什么特别值得一提的……"

"是，那倒是……其实最重要的是角兵卫大人的身世问题吧。"

"不知道。随便他吧。等哪天厌倦了沼田，又该跑到别的地方去了。"

“这哪行呀。”

“唉……”

小松殿觉得不如给樋口角兵卫娶个妻子，让他安稳下来。

“像角兵卫这样的人，一旦放任自流，谁知道会怎样啊。”

父亲昌幸死后，信之不再奢望幕府赦免九度山的弟弟幸村。他知道现任将军德川秀忠对昌幸、幸村父子的恨意日渐强烈。所以，他唯有认可樋口角兵卫的身份。

当听说久野和角兵卫抱头痛哭时，信之暗自思量：“角兵卫都四十好几的人了，总该有点改变才是。”

次日，久野派家臣前来询问信之：“角兵卫回来了，能否谒见您一下？”

“好，这就让他来吧。”

久野听到信之的回话，一时大喜。

“我就不去了。你可别再出错了，要乖乖向大人道歉啊，角兵卫。”

“我会的。”

久野只觉得角兵卫变了个人，看上去颇见沉稳。

昨天晚上，久野亲自去浴室给角兵卫搓背。将被热气蒸过的巨大身躯搓了又搓，污垢总算搓下来了。久野用竹刀刮那些污垢时，累得满身是汗，气喘吁吁，最后只能唤来一名小厮代替自己。

不管怎么说，角兵卫洗了澡，梳好洗干净的头发，刮掉胡须，看起来就像换了个人，很有男人气概。他本就身强体壮，容貌威武。年轻的时候披挂上马，样子比信之和幸村都要出色。

樋口角兵卫穿上久野亲自缝制的窄袖和服和裤裙，跟随前来迎接的信之家臣马场彦四郎，走过内护城河上的桥，从东门进城。

以前角兵卫在这里的时候，还没有这个东门。

"城内变化很大呀！"

马场彦四郎主动对边走边四处张望的角兵卫说道。

彦四郎的父亲是马场弥右卫门，曾侍奉关白丰臣秀次。后来，秀次受到养父丰臣秀吉的处罚，被流放到高野山继而自杀。真田昌幸得到秀吉的允许，把马场弥右卫门召来当了长男信之的家臣。

七年后，弥右卫门病逝，其子彦四郎接替了他。马场彦四郎早年曾是信之的侍童，一向机敏，而且踏实肯干，备受信之赏识，三年前当上了家臣。

彦四郎不会喝酒，唯一的喜好就是围棋。他的棋术跟另一个家臣小川治郎右卫门旗鼓相当。马场彦四郎只要持着棋子，就犹如变了个人，对胜负看得甚重，甚至曾对小川治郎右卫门哭着说道："我不会认输的！一个子都不会输！"

这两个人都是二十八岁，脾气相投，所以服侍信之时总会相互帮忙。小川治郎右卫门肤色较白，脸庞圆润，看着委实不大机灵，而马场彦四郎正好弥补他的这一点。

用信之的话来说，就是各擅胜场。

治郎右卫门有妻有子，彦四郎却是独身一人。继承父亲的位置时，彦四郎娶了老婆，结果四年后尚未生个一儿半女，妻子就病死了。他非常爱慕亡故的漂亮妻子。打那之后，无论别人怎样撮合，他都会说："不了，我们家就算断了后也没关系。"一概回绝。

和魁梧的小川治郎右卫门相比，马场彦四郎又矮又黑，面相更犹如一潭死水。然而，大家都很非常喜欢他，只因他做事低调，言行光明磊落。

“我的父亲全赖大人收留，所以我只想当个好家臣，没有后代也没关系，这样到了关键时刻才可以无牵无挂，全力以赴。”

某次下围棋时，彦四郎曾这样对治郎右卫门说道。

“喂，彦四郎。”樋口角兵卫问道，“你有几个孩子啊？”

“没有……”

“没有？”

“我妻子四年前死了。”

“啊？我都不知道呢。好像大家都说她是个漂亮女子……”

“哪有……”

“哎呀，老婆死了，真是好可怜呀。”

彦四郎觉得角兵卫的言谈跟以前不一样了。

“角兵卫大人竟然记得我妻子的事。”

角兵卫的言行固然疯狂，记忆力却当真不差。以前，他经常会抓住幸村，质问道：“一年前的某月某日，你说的那些话，难道全是骗人？”

他总是记得诸如此类的琐事。

幸村好几次哑口无言，唯有笑道：“真不能跟角兵卫随便开玩笑呀！”

第肆话

伊豆守真田信之在书房接见了樋口角兵卫。

四十九岁的信之，鬓角隐隐泛白。角兵卫伏地行礼，垂下了头。

"听说你是从九度山逃出来的？"

"啊……"

"问你呢，说来听听吧。"

"不知道。"

"不知道？"

"我不知道，想不起来了。"

角兵卫挺胸答道。信之凝目看着角兵卫，默默看了好久。角兵卫突然目光一垂，只觉得一切都被信之看穿。

年轻时的角兵卫讨厌幸村，所以总是跟着信之。而信之同样十分喜爱角兵卫，对他特别照顾。角兵卫是信之、幸村兄弟的姨母久野之子，三人算是表兄弟。

实际上，他是父亲昌幸的私生子——信之和幸村都知道这事。

知情者尚有山手殿和两三个重臣。角兵卫本人则不知情。他一直相信去世的樋口下总守才是生父。

（角兵卫的身世真是让人同情……）

信之就是有了这样的念头，才越发疼爱他。角兵卫是他同父异母的弟弟。

同父异母的幸村当上了真田家的次子，角兵卫却这样浑浑噩噩长大，被家人疏远，粗野的性格几近疯狂。十五年前，角兵卫曾偷偷潜到地板下面，窃听信之和铃木右近的密谈，跟着便从沼田城离奇消失。时值关原之战将要打响之际，铃木右近推测角兵卫暗中将分家的秘密告知了上田的真田氏本家，信之却全未介意。

——角兵卫的脑袋从小就有问题，长大后似乎更不正常了。

信之就是这种感觉。

他竟然躲到地板底下，竖着耳朵偷听。

（我是不是被他当做外人了……）

恐怕就是这个想法，促使角兵卫经常举止怪异。

（为何不重用我呢？难道我不是真田家的亲人？）

角兵卫庞大的身躯里面，一度充斥着这种不满。但是，信之面前的角兵卫再没了昔时的阴郁。

看到脸色铁青、面庞浮肿、眼中闪着骇人光芒的角兵卫之后，哪怕是素来刚毅的小松殿，都忍不住评价道："这……总觉得不是人类。"

信之问道："角兵卫，以后不会再离开我了吧？"

角兵卫微微颔首，答道："是。"

"一言为定？"

"好。"

“以后，不要再背叛我了。角兵卫，明白没有？”

“绝对不会了。”

“好好辅助我这个伊豆守吧。”

“真是愧不敢当……”

角兵卫的独目湿润了，大概是想到备受信之爱护的儿时了吧。

“喂，角兵卫。”

“啊？”

只听信之突然问道：“你的右眼是怎么搞的？”

角兵卫逃出沼田后，曾来到信州的上田城，让众人大吃一惊。上田城的母亲久野和真田父子都曾询问他右眼失明的事，但角兵卫不肯回答。结果，没人把这件事告诉信之。

“是不是失明了？”

“啊……”角兵卫环视了一下四周，除了信之再无旁人，家臣和仆从都被支开了，“大、大人……”

樋口角兵卫竟然有些羞赧了。信之从这张脸上再度看到了他儿时的表情。角兵卫似乎要将一切事情都坦然告诉信之了。

“说吧？”

“大人……”

一行热泪从角兵卫的独目中流了出来。

“别顾虑，角兵卫，想说就只管说吧。别忘了咱们是血亲。”

这个“血亲”大概不是“兄弟”的意思，而是“亲人”吧。

“说吧。”

“是，是。”

角兵卫满脸涨红，用力咬着嘴唇，克制着不哭出来。

第伍话

面朝庭院的书房门是开着的，所以不时有凉风吹进。角兵卫双手掩面，到底忍不住开始啜泣，脖颈上更是有汗珠闪烁。

信之一直沉默不语，直到角兵卫停止哭泣。

（搞不明白……总觉得搞不明白他的想法……）

年轻时，信之可以轻易看透角兵卫的想法。就算是粗鲁的言行举止，信之都会立刻理解。然而，眼前这个男人的事情，他几乎全都看不懂了。

信之不知不觉流露出了厌倦的神情。

停止哭泣的樋口角兵卫仰着脸，随口说道："旅途中，我跟二十个浪人交锋，虽然击败了其中十几个，但是被刺伤了右眼。"

他竟然说得如此轻松。

为何不将右眼的真实情况告诉信之呢？莫非是将信之当成了外人？

要不然，就是输掉一对一的决斗让他极度羞愧？

"哦……"

信之根本就不信角兵卫的话。角兵卫怪力惊人，肯定足以打败二十个人，所以他分明就是编故事呢。

"好了，算了。"信之突然换出一副无所谓的表情，说道，"角兵卫，你以前屡次离我而去，这你总归很清楚吧？"

"真是非常抱歉。"

"你知道就行了。那好，这次先给你五十石的俸禄吧，如何？"

信之的话音渐渐严厉。

"五十……五十石？"

"别说不够啊。"

"唔……"

角兵卫的不满之情溢于言表。他离开沼田前，信之给的俸禄是三百五十石。

"毕竟要顾到其余家臣的情况。先给你五十石，看你的表现再适量增加吧。当然，对你母亲的照顾会跟以前一样的。"

角兵卫狠狠看着信之，再次露出厌恶的眼神。

信之亦是暗暗一叹，但想想他毕竟是父亲昌幸的儿子，总无法弃之不管。

诚如小松殿所说，把角兵卫放走的话，肯定会惹来危险。角兵卫根本就是个定时炸弹。一旦让他随意流浪，真不一定会闹出怎样的大事。

突然，樋口角兵卫大喊道："好吧！"

——好吧？

"啊？"

信之一时茫然。

"好吧，我接受您的好意了。"

角兵卫伏地行礼，叩谢信之。那个态度一看就是装的，像是故意调侃信之。

"以五十石的俸禄出仕于我，你接受了？"

"是的。"

角兵卫昂然冷笑，露出的牙齿白得让人后怕。白牙齿本身当然无甚特别，但这个人毕竟是角兵卫，所以他的白牙齿都会让人觉得不大正常，惹人生厌。

信之摇铃唤来了家臣——小川治郎右卫门。

他再次说道："不要再离开我了。"又一次叮咛角兵卫不要擅自行动。

此时，小松殿出现了。见到信之的正室，樋口角兵卫的举止竟然非常乖顺，跟以前大不相同。后来，小松殿曾悄悄对信之说道："角兵卫大人好像变了个人似的……"

"哦？样子变了？"

"是呀，简直和一般人一样了呢。"

"唔……"

信之就此沉默不语。

角兵卫离开后，信之一直有种奇怪的压迫感。若说是不快，其实主要是不安。

这个角兵卫竟肯强忍不满，同意当一个只有五十石俸禄的新人。信之对此深表怀疑，自是情理之中。而且，从角兵卫充满怪笑的独目里面，信之察觉了某种几近疯狂的东西。这当真让人后怕。

樋口角兵卫由马场彦四郎送出东门。

"角兵卫大人，恭喜您了。"

彦四郎向对方道贺，哪知角兵卫竟驻足转向了他，边说着"谢谢您"边深鞠一躬。马场彦四郎愕然看着对方，深感意外。

角兵卫回到母亲的府邸，久野立刻冲出迎接，将他带到房间，问道："结果怎样？"

"重新服侍大人了。"

"真，真的？这比什么都强。恭喜，恭喜你了！"

"母亲……"

"哎？"

"我是新人，所以只有五十石俸禄。"

"啊？五，五十……"

"对，五十石。"

"这……"

久野讶然瞪大了眼睛。以前拿三百五十石俸禄的儿子，竟被当成了五十石俸禄的新人。

她一时怒不可遏。儿子跟别的家臣是不一样的。他难道不是真田家的骨血至亲？不，他根本就是信之同父异母的弟弟，难道不是？他难道不是死去的真田昌幸的亲生儿子？

（伊豆守大人肯定不会不知此事。）

这时，她完全忘了儿子角兵卫昔日三番两次的胡来。

"无论如何，这真是太过分了！"久野脸色苍白，追问道，"你接受了没有？"

"母亲大人，您不是说了不管何事都要老老实实接受嘛。"

四十四岁的角兵卫像孩子般撒娇道。

"我确实……确实是这样说了，但是……"

久野不言语了，只默默看着前方，满怀悔恨，苍白的脸色逐渐变红。她的情绪显然太激动了。她虽然年逾六十，脸上却没有特别明显的皱纹，看上去要年轻个十几岁。

角兵卫看着久野，喊道："母亲……母亲？"

"嗯。"

"您怎么了？"

"真是太过分了……"

"但是，母亲说了要听话的呀……"

"我真是后悔……"

久野似乎咬牙切齿。

角兵卫跟着说道："你的角兵卫也很后悔呀……"

"伊豆守大人肯定知道你的事情……"

"说是要顾到别的家臣。"

"我说的不是这件事。"久野大喊道，"角兵卫，你，你知道你是谁的孩子？"

"啊？"

第陆话

久野极度恼怒，不慎说破了本不该说的事。这恐怕就是父母溺爱孩子的结果。

"你的确是我的孩子，但你的父亲不是樋口下总守，而是九度山的老爷！"

久野将一切都告诉了角兵卫。角兵卫登时被这番出人意料的话给惊呆了，甚至连反问一句"真的吗"的力气都没了，只是微张着嘴，凝视母亲。

久野则是默默瞪着角兵卫。

庭院的树林中传来蝉鸣。

久野白白的额头上渗出汗珠。

片刻之后，角兵卫缓缓问道："这件事，死去的大人可曾知道？"

那话音宛如他人。

久野没有说话，只是点了点头。

"山手殿也知道？"

久野再度点头。

"左门卫佐大人也知道？"

久野点头。

"那……沼田的大人肯定也知道吧？"

"是的。"

"哼……"

角兵卫的呼吸变急促了，独目中凶光跃动。久野吓得不敢再看。

"嘿……啊……"角兵卫低吼着，凝视久野，质问道，"为何直到这时才告诉我？"

"抱，抱歉……"

"这个时候才说出来，就不如根本不告诉我！"

角兵卫说得没错，事情的确就是这样。

他闭上仅存的那只眼睛，嘟囔道："如果……如果十五年前就知道的话……"

他就这样着缓缓站起，看都没看久野一眼，径直向走廊走去。

"阿，阿角……"

久野神情痛苦，脸都变了形，唯有趴在地上哭泣。

话说回来，角兵卫嘟囔的那句"十五年前"又是何意？

十五年前，算来当是关原之战堪堪便要打响之际。

回到房间的角兵卫再没弄出任何声响。他在干什么呢？

久野坐了起来，盯着窗外夏日的树林，茫然若失，一动不动。

她的脸上突然浮现出微微笑意。不是愉快的笑容，但又不是苦笑，更不像是强颜欢笑。

她的嘴里嘟囔着什么。

那种诡异的笑容久久停留在久野的脸上。

——难道她也疯了？

不知过了多久，久野向过来看她的侍女问道："角兵卫大人在干什么呢？"

"他刚刚出去了。"

"啊？"

久野吓了一跳。

（难道又跑了？）

角兵卫对家臣说道："我要去一下大人那里，你稍后再去告诉我母亲。"说完便出了家门。

他走到东门的哨所，又道："帮忙喊一下马场彦四郎。"

"好的。"

马场彦四郎接到哨兵的通报，急忙赶来。

"烦劳您跑一趟，真是不好意思。"角兵卫如此郑重，大家都觉得奇怪。只听他接着说道，"麻烦您禀报大人，樋口角兵卫求见。"

"好的。"

彦四郎立刻回去将此事告诉真田信之。

"啊，角兵卫求见？"

"是。"

"他的神情如何？"

"说实话，有点儿怪。"

"唔……"信之更茫然了。但是，虽然难以理解，总归无法不见。他只好点了点头，紧锁眉头说道，"好，就让他来吧。"

须臾，信之带着马场彦四郎来到书房。

角兵卫一见信之，立刻跪拜行礼。

"有事？"

"有点事要禀报。"

"好，说吧。"

"希望您让别人退下。"

"好。"信之用眼神示意彦四郎退下，然后扇着扇子说道，"角兵卫，这里没别人了。"

"我想说的是之前那五十石俸禄的事。"

"你不满意？"

"总觉得您搞错了呢。"

跟方才不同，角兵卫的措辞变得十分粗鲁，嗓音更是阴郁低沉。

"没有搞错。"

"您确定？"

"是的。"

"可笑！"

"什么？"

信之一时间似乎没听懂角兵卫的意思。

"我说这很可笑。怎么，伊豆守大人的耳朵聋了？"

这简直太狂妄了。信之倍感沮丧。

"你说五十石太可笑了？"

"当然。"

"之前不都是同意了？"

"刚才是刚才，现在是现在。"

"真不敢相信这是和我定下盟誓的武士所言！"

此时，久野也来到了东门，求见信之。她平息了激动的情绪，意识到了刚才的失态。

"我想告诉伊豆守大人的是。"樋口角兵卫继续说道，"想要惩罚我之前，最好先仔细考虑一下我的事情。"

"考虑你什么？"

"好好考虑一下角兵卫的身世。"

"你的身……身世？"

"那样的话，就能理解角兵卫的不满了。"

"啊？"

信之讶然盯着角兵卫。

（这家伙在说些什么？莫非他知道那秘密了？）

真田家的重臣几乎都清楚左卫门佐幸村的身世，但角兵卫的身世之谜却只有去世的萨摩守矢泽赖纲和娶了真田昌幸之女村松的小山田壹岐守两人知道。

然而，这两人都不会将如此重大的事情轻率告知他人。

第柒话

"你的身世，我自然清楚。"

信之淡然说道。

"你很清楚？"

"对，很清楚。"

"明明清楚，却只给我五十石……"

"是的。"

"啊……"

樋口角兵卫开始狂吼。他的嘶吼如此之响，而且掺杂着粗重的喘息，简直就是野兽咆哮。他炯炯发光的独目里布满血丝，牙齿咬得咯吱作响，甚是可怕。

"角兵卫，冷静些。"

"哼！"角兵卫膝行迫近信之，问道，"是不是九度山的父亲死了，你才敢这样对待我啊？"

（角兵卫果然知道那秘密了……）

他这不是用"父亲"来称呼真田昌幸了？

信之的神情如故，朗然说道："倘若觉得我做得不对，你离开就是了。"

"哦？"

角兵卫的姿势变成了单膝跪着。莫非是打算扑向信之？

恰是这时，马场彦四郎和久野来到了走廊。

"角，角兵卫……"久野抱住角兵卫，对信之大呼道，"求您原谅！"

"母亲，让开！让开，让开！"

"不行！"

"哎，讨厌死了！"角兵卫一把推开母亲，跑到走廊上，喊道，"没人性的伊豆守，我再不会回沼田了！"

马场彦四郎抓住正欲离开的樋口角兵卫的袖子，说道："且慢。"

"别烦我！"

这时，只听信之说道："放开他。"

"闪开！"

角兵卫一脚踢翻彦四郎，跑了出去。

久野趴在地上，哭了起来。她连追赶角兵卫的力气都没了。

突然，小松殿拉开隔扇，从里面出来了，向信之点头示意。

信之点了点头，站起身来。后面的事情就交给妻子来处理吧。

马场彦四郎跑出府邸，追上正要出东门的樋口角兵卫，阻拦道："角兵卫大人，请等一下。"

"烦死了！"

"我有事跟你说。"

"何事？"

“随我来。”

“不！我不想再看到伊豆守了。”

“那倒不用，我们去那个哨所吧，总不能站在这里说话。”彦四郎露出难以表述的亲切微笑，说道，“我不是要留你。”

“那你想说什么？”

“只是担心你呀。”

彦四郎的话音充满诚意。至少角兵卫是这样感觉的。

“好吧。”

他点了点头，跟着彦四郎向哨所走去。彦四郎将哨兵悉数支走。

想来，角兵卫不是没有可怜之处。他生来就跟常人不同，所以自幼就只有母亲久野和年轻时的真田信之用温暖的目光看他。然而，信之现下根本对付不了长大的角兵卫。

他被所有人疏远、讨厌，唯有奋起反抗，结果招来了大家更强烈的憎恶。角兵卫的境遇便是如此这般。正是这些，促成了此时的这个角兵卫。

哪怕生父昌幸都忍不住说道：“这样下去，不知角兵卫会惹出怎样的事端，搞不好会伤到真田家呢，不如……”

昌幸曾跟次子幸村密谋悄悄杀死角兵卫。当时的幸村只当父亲说笑，总是付之一笑。

因之，若偶尔有人对角兵卫非常亲切，他就会像孩子一样听话。

现在的角兵卫就是这样。知道昌幸是生父一事深深打击了他，再加上信之刚才那句“不满意就离开”……这一切都让他心烦意乱。

他要发泄对信之的不满，恐怕就是怨恨信之一直对他隐瞒如此重大的事。

东门内的哨所内，马场彦四郎平静亲切地说着话，樋口角兵卫一句也没插嘴，听得非常认真。

（真的好像变了……）

最后，彦四郎说道："对吗？就这样吧，好吗？"

"嗯。"

角兵卫点了点头。随后，两人走出哨所，过了东门的桥。

彦四郎把角兵卫送回了久野的府邸。

小松殿温言劝了很久之后，久野离开了信之的府邸。她确信角兵卫又逃了。这样的话，无论怎么追都没用。其实，只要想想角兵卫以前惹的那些事，久野就没什么好抱怨的了。

她郁郁回到家里，突然瞧见了角兵卫。

"呀，你没走啊。竟然，竟然……"久野欣喜若狂，说道，"角兵卫，不管什么事儿都要学会忍让，要克制啊！"

"是，我知道了。"

"那……那个……"

"五十石的俸禄嘛，我忍了。"

见到孩子如此老实乖顺，久野再次流下眼泪。

马场彦四郎的话生效了。他是如何说服角兵卫的呢？

日落时分，家臣换班，马场彦四郎和小川治郎右卫门从城内退出。此前，久野曾派人进城向信之禀报角兵卫回家的消息，结果正好经由小川治郎右卫门向信之禀报。所以，治郎右卫门告诉彦四郎，角兵卫回家了。

就算是素来要好的治郎右卫门，彦四郎都没透露是他说服了角兵卫而且将之送回家的，好像完全忘了一样。

第捌话

这天夜里，真田信之听说角兵卫没有出逃，而是回到家中，决定第二天再将他喊来好好谈谈。

小松殿温言对久野说道："真不该将大人的秘密轻率说出来呀……"同时又解释了真田家和樋口角兵卫的关系，说道，"信之大人非常清楚这事儿，一定不会失分寸的。"

平静下来的久野固然羞愧，却明白角兵卫若就此离去，其实便是息事宁人。

然而，小松殿说道："我们会去追他的，一定会命人将他带回来。"

久野离开后，小松殿立刻让家臣调派追赶角兵卫的人手，哪知久野竟第一时间送来了角兵卫回家的消息。

"想走的话，随便吧。"

信之彻底放弃角兵卫了。

（明天把角兵卫介绍给孙六郎和隼人吧。）

信之躺到床上，想着想着就睡了。

孙六郎是信之的长子，隼人是三子。而次子内记（信政）目前去了江户的真田府邸，和其他大名的亲人一样，当了德川将军城下的人质。内记十九岁，沼田的长子孙六郎信吉今年二十二岁，三子隼人信重则是十五岁。

除了这三个儿子，信之和小松殿尚有两个女儿。长女阿满嫁给了武州岩柜的高力忠房，次女阿胜则嫁给近江高岛的佐久间安正之弟胜宗。如此一来，沼田真田家就跟德川将军家周围的大名有了姻缘关系。

大御所家康对真田信之的信任一直不曾动摇。所以，明明该由长子信吉去当人质的，但次子信政去的话亦是无妨。现任将军德川秀忠对九度山真田父子的憎恨固然不曾减弱，却没有因此虐待真田信之。

翌日清晨，信之尚未命人把角兵卫喊来，久野就先跑到了城内，报称角兵卫又逃了。信之不觉咂舌，一时怒火中烧。

（搞什么啊！真是无药可救。）

完全没有头绪。

小松殿提议派人去追，信之断然拒绝："没关系，就随他去吧。"

一想到他是亡父的私生子，信之和幸村就只好对他的行径睁只眼闭只眼。

但是，小松殿瞒着信之，偷偷派出了五名家臣去追樋口角兵卫。三天后，那五名家臣回到沼田，向小松殿报称没见到角兵卫的踪影。

角兵卫是那天早晨天尚未亮时离开母亲府邸的，甚至都没留下只言片语。

（莫非是回九度山了？）

信之思忖着。真希望会是如此。放任不管的话，不知道会给大家带来怎样的麻烦。

想到这里，信之不禁后悔，对小松殿苦笑道："到底是不该不管他呀。"

小松殿这才说出派人去搜寻之事，只恨全无所获。

那就确实没办法了。

信之越想越觉得此事不能就这样放任不管，几天后又派出家臣去追查角兵卫的下落，要求他们一定要将他带回沼田。

信之把这个任务交给了马场彦四郎。彦四郎挑了四人随行，离开沼田。动身的前夜，他去了小川治郎右卫门的家。

"暂时无法再对弈了，很舍不得……"

他说着便拿来棋盘，和治郎右卫门面对面坐下。两人一直下到天空泛白。

动身的时间就要到了。

马场彦四郎淡泊世事，却尤其介意围棋的胜负。他十分讨厌输棋。这大概是他太喜欢围棋所致。

跟彦四郎相比，小川治郎右卫门就不是很看重胜负。他一直都很尊重彦四郎的感受。倘若彦四郎说就下到这里，那他不管输赢都会痛痛快快将棋盘一推。

惜别的对弈之中，马场彦四郎输多赢少。

"真遗憾啊……"彦四郎由衷遗憾，"到时间了，就到这儿吧。"

"好。"

"下次一定要打败你，不要忘了啊，治郎右卫门大人。"

"好的。"

马场彦四郎一直独身生活，当晚是整理好行囊才来到小川家的。吃完治郎右卫门的妻子伊佐准备的早饭后，他说道："那好，我走啦。"

"一定要把角兵卫大人顺利带回来啊。"

"我不管怎样都会寻到他的。"

彦四郎离去之后，小川治郎右卫门对妻子说道："伊佐，彦四郎对围棋真是执著。"

"是啊。"

"真是个特别的男人。"

治郎右卫门嘟囔着，目光投向渐渐被朝阳普照的庭院。

这时，他五岁的独生子龟之助起床后来请安了。

第玖话

一旦做得过了，幕府肯定会看不下去，继而加以责难。

信之怀疑离开沼田的樋口角兵卫会回到九度山的真田幸村那里，因此嘱咐追赶角兵卫的马场彦四郎和另四个家臣道："角兵卫没准会回九度山。如果真是那样，估计我不说你们都明白……绝对不要靠近九度山。"

他办事真是谨慎。现下毕竟是非常时期。父亲昌幸病逝之后，他和幸村就这样遥遥相望。

幕府准许山手殿和家臣们回到沼田的真田家时，小松殿之弟本多忠政曾告诉信之，现任将军德川秀忠根本无意阻拦此事。就算有隐退的大御所家康帮忙说情，信之都没料到母亲和那些家臣会如此顺利来到这里。

信之听说父亲去世的消息后，曾向将军秀忠求情前往九度山，却被拒绝。然而，随着昌幸病殁，秀忠对昔日进攻上田时结下的怨恨总归是减弱一些了吧。现下的他，大概只想更加孤立九度山的左卫门佐真田幸村。

这些事一时尚难断言，但忠政确实偷偷捎话劝信之再忍耐一下。

忠政继承了其父忠胜的十万石封地，就任伊势桑名城主，深得德川家康和将军秀忠的信赖，经常有机会跟他们见面。他都捎话让信之再忍耐一下了，肯定是有所依据。

近几年来，幕府对沼田和九度山之间的信函以及信之夫妇送到九度山的钱财之类，监管得不再像以前那样密切了。然而，凡事规矩些总是没错。

一旦做得过了，幕府肯定会看不下去，继而加以责难。

信之是个事事谨慎之人。父亲殁后，他立志恳求幕府赦免弟弟幸村，把他接回身边。倘若一切顺利，未来再求幸村以真田家老臣的身份辅佐孩子们。总之，一定要让幸村出手相助。

（这样才会有安全感嘛……）

信之觉得这件事就快有希望了。他推测德川家康近期一定会让丰臣秀赖离开大坂，让他搬到别的地方去。丰臣家若胆敢拒绝，家康肯定会悍然动兵。

以当时人的寿数看来，七十三岁的德川家康无论如何都是长命之人。家康只要得空，就会出去猎鹰、纵马、拉弓，以此锻炼身体。然而，他毕竟是高龄之人了，恐怕不会再活十年。五年之后，他就七十八岁了。

他能不能活到七十八呢？没有人比家康清楚。

所以，家康肯定想利用有生之年把丰臣家的问题解决。

不一定要用战争消灭丰臣家。只要把丰臣家挪到远离京都的地方，由德川家的嫡系大名以封地将之团团围住就行了。

他真不想强行消灭可爱孙女千姬的丈夫——丰臣秀赖。

丰臣家培养的大名之中，加藤清正、浅野幸长父子、堀尾吉晴这些人全都死了。去年正月，播磨姬路的城主池田辉政亦告病逝。肯给丰臣家赴汤蹈火的大名几乎都死绝了。

关原一役之后，德川家康千方百计削弱丰臣家的实力。有传言称，故太阁秀吉生前曾把无数的金银财宝藏进大坂城内，其中甚至包括大量四十贯、一百贯的大金块。一旦有了战争，这些金块自然便是惊人的军用经费。

德川幕府的财力尚不足以对抗那种规模的金块。

倘若丰臣家用这些金块招揽关原之战后流浪各地的浪人，再购置好武器弹药的话，大坂城就真是名副其实的"坚不可摧"了。

德川家康非常顾虑大坂城内的金块，却没有像对待别的大名那样给丰臣家分派任务。但是，太阁死后，尤其是关原一役之后，淀殿变得整日惶恐不安，开始不断兴建和重建佛堂、神社。

大概十二年前，家康就给了淀殿一个建议——重建方广寺。

方广寺是太阁秀吉为祈祷子子孙孙的繁荣昌盛，参考奈良东大寺的规格，照搬镰仓大佛作为主佛像，不惜财力建造的。然而，庆长元年的大地震把十六丈高的大佛给弄塌了。秀吉一直挂念此事，结果尚未着手重建就去世了。

所以，家康劝淀殿和秀赖实现太阁遗志，重塑大佛以保证丰臣家繁荣。那个时候，关原之战才刚刚结束，德川家康尚未坐上将军的位子，而是丰臣家的五大老之一，淀殿对他尚不如日后那样憎恶和警惕。

如前所述，日益不安的淀殿妄图把一切都指望神灵眷顾，因此深深赞同家康所言，欣然接受了他的提议，着手重塑方广寺的大佛。

天有不测风云。那年十二月的一天，铸造师的疏忽酿成了特大火灾，刚刚开始塑造的大佛像竟被融化，整个方广寺的厅堂庙宇全被烧毁。这件事让秀赖和淀殿都很沮丧，就此打消了重建之念。

结果，家康只好借片桐且元之口再度提议此事。秀赖和淀殿虽然讨厌家康，倒一直挂念着方广寺和大佛的事情。庆长十五年的年末，他们果然又着手重建了。

这次要弄的不仅仅是大佛，而且包括了方广寺，绝对是个大工程，重建的经费自然不小。淀殿经由亲妹妹——现任将军秀忠之妻——向家康和秀忠征求关东方面的资金支持，怎奈家康和秀忠都称这跟幕府无关，一口回绝。

庆长十七年，重塑大佛的浩大工程结束，就只等大梵钟的完工了。担任工程总指挥的片桐且元松了口气。他替丰臣家向幕府汇报了各项事宜，而且将大佛开光、供养之日和当日前来的高僧等事——汇报。

德川家康听完且元的汇报，看了费用明细，说道：“嗯，的确是……”随后便笑吟吟望向一旁的南禅寺塔头兼金地院住持——以心崇传，欣然呢喃道，“的确是一笔大开销嘛……”

第拾话

方广寺大佛开光、供养之日择定这一年的八月三日，算来便是现下的九月六日。樋口角兵卫离开沼田的时间，基本上就是这之前的半个月。

淀殿就大佛开光、供养典礼之事说道："死去的太阁大人肯定会很高兴吧。"命片桐且元一定要办得隆重。

她想向天下展示一下虎踞上方的丰臣家的威风。加藤清正、浅野幸长去世之后，几乎没有大名来大坂城问候了。大家全都忌惮德川幕府的威势。

此番庆典将会聚集上千僧侣，而且准备了三千樽酒和大量年糕，以分给每一个前来观看的人。十年前祭奠太阁秀吉的丰国神社祭礼之中，曾举行阅兵、田乐、猿乐等表演，更从京都等地请来无数表演风雅舞蹈的人，让每一个观看者都兴奋、狂热。当时，丰臣家培养的大名们纷纷带来了装饰漂亮的马匹。

那真是一次让人叹服的祭典。

所谓"风雅舞蹈"是由从京都等地前来的五六百人集体表演，从皇宫一直跳到丰国神社，展现各种舞蹈。笛子和大鼓的伴奏尤其狂热。

"丰国！丰国！神之威光，永存不朽！"

"恭祝千秋万代！"

"神灵保佑！"

歌喉和舞蹈轮流交替，各种各样的风雅之伞和伞形花车排成一列，一路舞着。为了方便大家观看风雅舞蹈，沿途各地总归设立了两千余间客栈。京坂一带的百姓都非常喜欢太阁秀吉。只要到了秀吉的忌辰，丰国神社便会举行祭礼。秀吉十三周年的忌辰时，德川幕府忍无可忍，悍然出面干预，所以无法像以前那样壮观。

话说回来，这一次的大佛开光，又是由丰臣家主办的大型庆典。想要观看庆典的人群陆续来到京都。

看守伏见真田府邸的铃木右近忠重把京都的情况用信件报知沼田的信之。刚写完信，信之留下的另一个家臣赤沼濑兵卫便来到了侧廊，喊道："报告。"

铃木右近一直是孤身一人，没有住进府邸内的长屋。他住的是隔着小走廊和大书房相望的两进房间。

"哦，濑兵卫呀。"右近放下了笔，看着走廊里的濑兵卫，"有事？"

"这……"

濑兵卫的眼光不同往常。

右近之父铃木主水生前，他就是铃木家的家臣了。名胡桃城沦陷时，他刚好随着主水去了岩柜城，结果妻子和两个孩子皆被北条军杀害。从那以后，他没有再娶，而是一直跟随右近。

　　铃木右近从沼田回伏见时，半路上曾被樋口角兵卫袭击。濑兵卫当时就跟着右近。十五年来，赤沼濑兵卫都快六十岁了，铃木右近也已四十一岁。

　　赤沼濑兵卫刚刚从京都回到伏见。京都的室町有真田家的别馆。

　　这府邸本来由上田的本家和沼田的分家共有，本家灭亡后则全由真田信之一人管理。府邸的面积很小，所以信之只留下几个家臣常年看守这里。

　　铃木右近这日有事要联系京都府邸，故而派出了赤沼濑兵卫。

　　"喂，快进来吧。"

　　他察觉了濑兵卫非同寻常的神情，忙招手让他进来。

　　"是。"

　　"出事了？"

　　"京都有些谣言……"

　　"谣言？内容呢？"

　　"好像方广寺的大佛供养一事被搁置了。"

　　铃木右近的眼睛里有锋芒一闪。

　　"大家都这样说，是京都府邸的北山三左卫门进城时听到的。"

　　"哦……"

　　"大概就是这个缘故吧，方广寺附近喧嚣不宁……"

　　濑兵卫亲眼看到五名骑兵从大坂城疾驰而来，方广寺紧闭的大门打开之后，他们慌慌张张走了进去。

　　"会是什么事呢？"

　　"这……"

　　倘若濑兵卫说的不假，那肯定不是件小事。

铃木右近想了一想，问道：“只有这些？”

“是的，我想早点通知您，就急忙回来了。”

“好。”右近点了点头，“好了，你先下去吧，但不要走远。”

濑兵卫退下后，右近坐在那里，纹丝不动。

窗外是石头铺的小径，对面的树林里传来金蝉的鸣叫声。时不时便有阵阵微风吹来，早秋的凉意毕露。

铃木右近微闭双目，凝思片刻之后，突然喊道：“濑兵卫……濑兵卫呢？”

第七章　钟铭纷乱

第壹话

铃木右近命赤沼濑兵卫喊来伏见府邸的三位举足轻重的真田家人士，讲述了濑兵卫探听到的大佛开光供养一事突然中止的消息，说道："这只是传信，真假尚不清楚。我们一定要做好准备，以防万一。"

靠近大坂的京都伏见府邸的一切事务皆由铃木右近负责办理，他千方百计搜索情报，报告给沼田的真田信之。所以，他要安排好相应的事项。

大坂备前岛的真田府邸本来是由上田的本家管理，所以关原之战结束后就被没收了。沼田真田家目前尚未去大坂置办住宅。因之，一旦有何情况，京都、伏见两地的真田府邸自然便是相隔甚远的沼田信之的耳目了。

信之同样热衷收集京坂等地的情报，告诉右近不要舍不得花钱。

京都有个菊亭（今出川）大纳言府，其实就是信之母亲山手殿的娘家，从那里亦可得到皇宫内的情报。负责留守京都府邸的矢岛孙十郎按照右近的指示，很早以前便着手监控各地动向。北山三左卫门这次去京都听到的传言，正是经由这些渠道获得。

大纳言菊亭晴季是山手殿和久野的父亲，年逾八旬。此人身材矮小、瘦弱，曾被关白秀次事件牵连，惹怒太阁秀吉，被流放越后，但愣是奇迹般挨过了这一苦难，连病都没得，而且很快就被赦免，得以重回京都，继续出任右大臣。

大概十年前，他辞去了这一要职。

"不管怎样，我们先去京都吧。"

大致安排妥当后，铃木右近带着赤沼濑兵卫去了京都府邸。

伏见府邸开始准备了。

派往沼田的特使和相应的准备工作，还有必需的马、车等等，很快准备就绪。

铃木右近抵达京都室町的真田府邸时，已是夕阳西下之时。

紧接着，矢岛孙十郎回来了。他去了菊亭府上。

"哎呀，您是特意来的？"

"孙十郎，大佛开光供养一事中止，这是真的？"

"千真万确。"

"理由呢？"

"我刚刚从菊亭大人那里听说……"

"说吧……"

"听说关东对方广寺新铸的大梵钟的钟铭有所不满。"

"对梵钟不满？真是搞不懂。"

丰臣家一直都是让渊源深厚的清韩长老来推敲铭文，自太阁以来一直如此。

南禅寺的清韩上人是京都临济禅五本山的长老之一，素有"洛阳无双的智者"之誉，是秀吉生前心腹，朝鲜战争时曾以杰出的汉文不断跟朝鲜接洽。

清韩选定的钟铭，德川家康肯定早就知道。片桐且元慎重对待家康和幕府，对方广寺和大佛之事更不敢有半点疏失，一五一十报知了家康。哪知事到如今，家康竟会对钟铭不满。

铃木右近惑然问道："那钟铭的内容如何？"

"是这样的……"

方广寺大佛殿的大梵钟高达一丈八寸，口径九尺一寸有余，用铜一万九千贯。此钟从今春开始铸造，动用木匠头领十四人，小工二百人，铸造工三千人。

清韩长老拟定的钟铭之开头部分如下：

钦惟丰国神君昔年掌普天之下位亿兆之上外施仁政……

是一段很长的文字。末了则云：

国家安康

君臣丰荣

这样的文字激怒了德川家康。只因"国家安康"将家康的名字用一个"安"字断开，这无疑极其不懂得礼仪章法，而"君臣丰荣"一句则含有希望丰臣家千秋万代之意。

德川幕府的儒官林道春指出这一钟铭有诅咒德川家灭亡之嫌。这位御用学者给出了一番牵强的说辞，让家康有了故意刁难的借口。

右近听罢，只觉得难以置信。

骏府的大御所这种大人物，岂会如此……简直愚昧透顶。

谁都看得出来，这真是太牵强附会了——"国家安康"、"君臣丰荣"一类祝词，竟成了断开家康的名字、诅咒幕府的意思？

真是令人瞠目结舌的说辞。

然而，事实就是如此。担任大佛开光总指挥的片桐且元早就一五一十告诉德川家康了，所以家康肯定知道铭文。

"唉……"铃木右近叹道，"这件事非同小可呀。"

大御所家康到底是按捺不住了，开始寻求进攻大坂的借口。右近唯有这样推测。否则，家康完全不用出一个如此牵强的难题。

丰臣家得知此事之后，肯定会大吃一惊。

"把濑兵卫喊来吧。"右近喊来赤沼濑兵卫，说道，"天一亮，你就去沼田。"

"是。"

"没问题吧？"

右近追问了一句。他知道濑兵卫有些老了。

"不就这点儿小事嘛。"

濑兵卫笑道。他对自身的骑术甚有自信。

除了濑兵卫，右近又派出了北山三左卫门，而后便回到房内深思熟虑，开始给主公信之拟信。

中途，他再次喊来了赤沼濑兵卫，问道："准备好了没有？"

"准备好了。"

"那好，你跟三左卫门都喝些酒，这就去休息吧。"

"谢谢您了。"

"对了，濑兵卫。"

"您说。"

"这个关头要是有真田草者就好了。那样才会觉得有底……"

铃木右近坦然说道。

真田信之对德川幕府的忠诚固然不用怀疑，但右近相信精密的情报网同样会有大用。然而，信之和其父昌幸不同，自有一套行事的风格，拒绝让忍者提供情报。他相信京、坂一带只要有铃木右近的情报就行了，甚至明确宣称他只需要那样的情报。

换句话说，只要把京都人人皆知的事情告诉他就足矣。

信之一直觉得，父亲昌幸和弟弟幸村就是太重视优秀的忍者组织，所以才会错估了关原一役的形势。

真田草者送来的情报固然没有哪里不实，但就是这种全盘正确的情报，促使父亲和弟弟认定他们会赢。结果，就招致了真田氏本家灭亡的命运。

次日清晨，天空泛白时，赤沼濑兵卫和北山三左卫兵离开了京都府邸，纵马奔向沼田。后来，信之命这两人回到京都，以便此后可以随时向沼田派遣特使。

这些特使有意避开骏府和江户地区，都是从中山道前往沼田，所以真田家总会提前向中山道上的各个驿站支付费用，以便紧急时替换马匹之类，而且年年都会奉上礼品。

所做的一切，都是为了这个时刻。

第贰话

他们究竟在等什么呢？不用说，自然是东西两方关系破裂，真田幸村离开九度山，投向丰臣家挥军出阵的那一天。

当月七日午后，京都三条大桥的东侧桥头，出现了真田草者阿江的身影。

阿江背着行李，以斗笠遮住脸庞，拄着拐杖，犹如一个京都街头常见的卖东西的老太婆。

其实，以阿江五十六岁的年龄来说，确实可以喊她是"老太婆"了。

然而，阿江沐浴时，下久我忍宿的九旬老人权左看着她的后背，总会奇怪这个女人的肌肤何以一直不变。

阿江那微黑、丰满的后背上总是不沾一滴水珠。她光滑润泽的肌肤上纵有点细小皱褶，十年来的容貌却似乎没变。暂时衰退的身体经过长时间休养，又恢复了以前的强壮。

现在，阿江打扮成一个卖草席的老太婆。她背着崭新的草席，撩起衣襟，系着白色绷腿，脚踏草鞋。她弓着背，宛如一个年逾六旬老太婆，不紧不慢地走着。

太阳很毒，但日落后就截然不同了。

特别是下久我一带，夜间温度很低，秋意渐浓。

阿江自然听说了大佛开光供养停止一事。

最先送来消息的是真田草者小助。他此时犹是京都高台寺的仆人——小兵卫。

高台院十分关注方广寺大佛的重建，而且做了略表心意的捐赠。

工程总奉行片桐且元经常向高台院汇报进展。他现下住进了京都的府邸，所以有时会亲自去探望高台院。

高台院第一时间得知了供养停止的消息。此后，每当有且元的汇报送达，她便会露出明显的不安情绪。

"最近先闭门谢客，别擅自出去了。"

高台院叮嘱完家臣和仆人之后，便走进佛堂，几乎不再露面。

高台院目前从德川家康那里拿着一万六千石的俸禄，所以她不敢鲁莽行事。

加藤清正和浅野幸长活着时，高台院曾几次前往大坂，跟清正、幸长协商各项事宜，以保全丰臣家的未来。但是，清正、幸长死后，这两家就中断了和高台院的联系。只有加藤家的老臣——熊本的饭田觉兵卫——不时寄来书信和礼品，但也有明显的避人耳目之感。

如此一来，高台院就无计可施了。

阿江把小助送来的消息仔细写进密函。正好向井佐助从九度山来到了下久我，她便让佐助带给幸村。

佐助尚未再来到下久我，所以阿江不知道真田幸村会如何回复。

向井佐助正值而立之年。

（这件事，左卫门佐大人会怎么想呢？）

阿江热血沸腾，拼命冷静下来。毕竟，事情的详情尚不清楚。

三年前，幸村下了一道命令——遇事冷静，静观其变。

但是，真田父子去了九度山以来，草者无法陪同前去，又不肯投奔沼田的信之，而且不得不中断和各位元老重臣的联络，只好不断东奔西跑，漂泊各地。

久而久之，一些草者便杳无音信了。另一些人则觉得尚可一搏，故而一直忍受着浪人的艰辛，耐心等待。

他们究竟在等什么呢？不用说，自然是东西两方关系破裂，真田幸村离开九度山，投向丰臣家挥军出阵的那一天。

不知何时，阿江走出了祇园——八坂神社之旧称，来到东山附近，踏上林木环绕的小径。

虽然幸村反复强调要静观其变，但下久我的阿江无论如何都待不住了。哪怕只是逛逛京都的各条街道都好。

方广寺的大佛殿被帐幔围着，而且准备好了方便观看祭祀活动的看台，唯独正门却被关上了。丰臣家的人纷纷来到这里，戒备周密。

市区内好像有些骚动，不断有骑兵穿梭于京坂两地。

阿江又从小径钻进树林。周围空无一人，秋天的小径上只有蝴蝶翩翩起舞。

树林对面，便是小野阿通的府邸。阿江蹲了下来，凝目望去，正好瞧见阿通府邸的小门打开，走出两个人来。

第叁话

"不管怎样，都要告诉左卫门佐大人，让他快点给个指示吧。"

那是两个男人，看上去都是出门远行的武士。

送出两人后，小门立刻就从内侧锁上了。两个武士看了看附近情况，戴上了斗笠。然而，树荫中的阿江早就看清了两人的模样。

一个不认识，另一个则是永远都不会忘的。

——樋口角兵卫。

角兵卫为何会来到小野阿通的府邸？这意味着什么呢？

德川家康和丰臣秀赖去二条城会面之前，被剥夺封地的长宗我部盛亲曾几次来到这里。甲贺忍者盯上了他，所以时不时便来看看情况。阿江察觉之后，就悄悄来到阿通府邸附近探看。后来，她又在被选中充当值勤地点的废弃寺庙后面，

取了跟踪向井佐助而来的甲贺山中忍者平谷伊平的命。

正是想到了这些旧事，阿江才想再来看看阿通的府邸。

脱离九度山的樋口角兵卫竟然又跟小野阿通扯上了关系？这简直让阿江匪夷所思。无论怎么想，这两人都不该扯上关系。

角兵卫和那个武士对视着点头示意了一下，便向小径走来。

（太好了，我就跟踪角兵卫公子吧……）

阿江虽这样想，却不敢站起身来。那个武士恰好走到阿江附近，停了下来，一直观察周围的动静。樋口角兵卫的影子彻底消失之前，他就那样一直张望着，观察周边情况。由此可见，此人不是个普通人。和角兵卫相比，这个武士的装束要好得多。

（难道是关东的人？）

阿江寻思着。

角兵卫的身影完全看不到了，武士却兀自一动不动。

（难道……被发现了？）

阿江登时紧张。其实，那武士只是想再观察一下四周的情况。

不知何处传来草云雀的叫声。武士终于迈开了步伐。只见他踏上小径，选择了跟角兵卫截然相反的方向。就是说，他走的是阿江来时的路。

他似乎完全没有察觉阿江。

（那好，就先跟踪这家伙吧。）

阿江立刻作出决定。跟踪固然是阿江擅长的事，但那个武士确实称不上是个感觉机敏的主儿。阿江由此断定此人不是忍者。

她跟踪了对方一阵，突然大吃一惊。

——哎呀，那武士竟然走进了京都室町的真田家府邸。

这个武士其实就是马场彦四郎，但阿江当然不认得他。他接受了信之的命令，前来追查樋口角兵卫的下落。

阿江暗中观察真田府邸，直到日落时分，确认那武士没再出来，这才回到了下久我。

阿江一进忍宿，就看见了中原丈助。

"太好了，我正想让你去九度山呢。"

"有新情况了？"

"是呀，而且是一件想都想不到的事呢。"

阿江没拟密函，而是把适才目睹的一切告诉了丈助和权左。

"角兵卫？"

丈助和权左惊得面面相觑。这是两人根本想不到的事，两人都是一头雾水。

"我也搞不懂，所以一定要把这件事告诉九度山的左卫门佐大人。"

"的确如此。"

"快点去吧。"

"是。"

丈助立刻去作动身的准备。

阿江又对丈助说道："接下来，我们要增加下久我的人手了。"

"是呀。"

"如果把阿忆从夜泣峠的小屋调来……"

"也好。"

"话说回来，从阿通府邸走出来的另一个人，到底是谁呢？"

"你说他进了咱们的京都府邸？"

"是呀，太奇怪了。"

"确实……"

"不管怎样，都要告诉左卫门佐大人，让他快点给个指示吧。"

"好。"

中原丈助离开下久我的忍宿，奔向九度山。

此时，京都的府邸内，马场彦四郎正陪铃木右近喝着酒。

右近一直留守京都的府邸，又从伏见府邸调来四人，着手情报的搜集工作。他们想要探知大坂的情况。大坂是丰臣家的大本营，真田家却没有大坂的府邸。

所以，不可轻举妄动。

马场彦四郎因要追踪樋口角兵卫，带着四名家臣离开了沼田。他向右近汇报道："大家分头去了中山道和东海道，四散打探角兵卫公子的下落，我就先到京都来了。"

"嗯……"右近担忧道，"真是拿角兵卫公子没办法呀！"

"信之大人也是痛心疾首的样子……"

"是吗？"右近重重点了下头，"彦四郎，关于角兵卫公子的下落，就没找到一点线索吗？"

"是的。"

彦四郎立刻答道。

这真是太奇怪了。他明明才见到樋口角兵卫，却不向铃木右近透露半点，反而信誓旦旦称全然没有线索。

"大概是回九度山了？"

"我也是这么想的。"

"估计他没有别的地方去了。"

"不过……"

"不过？"

"大人说了，不准他靠近九度山。"

"那倒是。"

"对了，这次的钟铭事件，大人也很担心。"

彦四郎做出一副来到真田府邸后才听说钟铭事件的样子。

"对了，彦四郎。"

"嗯？"

"先别管角兵卫公子的事了，你留下来，未来权充我派往沼田的特使吧。"

"这能行吗？"

"能行，责任我来负。"

"遵命。"马场彦四郎低头称是，"对了，铃木大人。"

"嗯？"

"会开战吗？"

他凝视着铃木右近的脸。

右近闭上双眼，说道："一切都得看大坂的情况了。"

"大坂会怎么做呢？"

"不知道。"

"如果……如果开战的话，主公大人会怎么办呢？"

"什么怎么办？"

"会再支持关东吗？"

右近睁开双眼，问道："彦四郎，你为什么问这些？"

"啊，没，没什么……"彦四郎慌忙垂下目光。

右近狠狠斥道："不要明知故问，你跟着主公这些年了，难道不明白这个？"

"非常抱歉。"

彦四郎慌忙跪下行礼。

第肆话

片桐且元得知钟铭上的措辞竟惹怒德川家康，一时惊慌失措，真不知该如何是好，便去拜访了京都所司代——伊贺守板仓胜重。

"京都所司代"需要替幕府管理有关朝廷的各项事务，兼且负责近畿一带的民政，是一个非常重要的职位。从这个职位的工作来看，家康肯定非常赏识板仓胜重。

片桐且元见到胜重之后，说道："正如伊贺守大人所知，方广寺的梵钟铭文实是南禅寺的清韩长老草拟，大坂的右府大人全不知情。清韩长老饱学多识，文采华美，由他殚精竭虑拟定的文字，在下以为不会有哪里不妥。"

且元自然看过钟铭，但只是大致浏览。事实上，他不太明白文字的意思。自青年时期便驰骋战阵的武将，肯定没功夫钻研学问。就算他明白大体上的意思，具体的典故肯定不懂。

但是，大钟铸成之前，竟然没选几个学者、僧侣来看看钟铭的草稿，这确实是且元他们的失误。且元从一开始便落了下风。

　　这些暂且不说，总之，开光供养的庆典日期渐渐临近，各种事情都准备妥了。各宗各派的僧侣和从各地前来的观看者齐聚京都，都等着举行庆典的那天。

　　"倘若中止这一庆典活动，真难预测会出现怎样的变故。求您帮忙想想办法，让庆典如期举行吧。"且元一个劲儿央求道。

　　板仓胜重漠然答道："此举有悖大御所之意，恕我难以从命。"

　　片桐且元唯有郁郁离去。但是，他才不会就此束手待毙。

　　他命人喊来清韩长老，质问道："钟铭的文字何以竟犯了大御所的大忌？"

　　"小题大做……"清韩淡然自若，不觉得有任何问题。那钟铭毕竟是他冥思苦想才敲定的。只听清韩随口说道，"大御所若有任何疑问，清韩会随时解答，您就别挂念了。"

　　"这就好。"

　　片桐且元登时觉得有底，立刻命人制作钟铭和栋札①的副本，另附书信一封，派特使送到德川家康那里。

　　信中称："此次因且元疏忽，令您心绪不佳。谨慎起见，特奉上副本。且元不日将去骏府谢罪。"

　　家康早就知道了钟铭的内容，是幕府的工匠头领中井正清给的。此人从天正十六年就开始帮家康办事，一直负责土木工程，手下有两千余名工匠，曾两度参与皇宫的建造，并在江户城和江户城内的改造、建设以及骏府、名古屋的筑城工事中担任工匠领头。此次方广寺大佛殿的工程同样由正清指挥。家康给了他一千石的俸禄和"大和守"一官。

----

① 上梁牌，标明工程来历、施工人员和时间等各种情况的牌子。

近来，正清仗着家康宠信，嚣张跋扈。甚至有人说，这个屡屡进出大坂城的家伙曾将城内的构造绘成一张巨细靡遗的图，偷偷交给家康。

中井正清递交的钟铭副本和片桐且元的肯定没有区别。德川家康不用对照，便该明白此事。

家康让他宠信的僧人金地院崇传和儒官林道春坚决抗议钟铭之余，又命内膳正板仓重昌去京都征求五山僧人的意见。

重昌是板仓胜重的次子；“五山”则是一种略称，指京都地位最高的禅宗五寺。

这五寺均是当时受到保护的学术圣地，而清韩正是公认的五寺长老。其余的五山僧侣，学识皆无法和清韩相比。所以，他们都很嫉妒名望素著，而且从太阁时期就深受丰臣家重视的清韩。

德川家康早就安排好了，所以五山僧人们拿出了一大堆支离破碎的理论，一致批评清韩。其中包括东福寺的圣澄、天龙寺的令彰、南禅寺的宗最、建仁寺的慈稽……有这些人出面指责清韩，家康自然非常满意。而且，家康的亲信——天台宗的僧人天海——更是说道：“这个钟铭根本就是恶意诅咒德川家，这一点毋庸置疑。”

实际上，天海、崇传、林道春等人的言论根本无法统一，没有半点条理。毕竟这只是故意要制造事端罢了。

面对家康和德川幕府的强硬态度，片桐且元彷徨无计，又悔又恨，饭菜都难以下咽。他甚至对家臣箕浦内记抱怨道：“要是肥后大人活着就好了，唉……”

这个“肥后大人”当然就是故去的加藤清正。

第伍话

片桐且元离开京都，踏上去骏府向德川家康谢罪之路。

来到距离骏府只剩一里半路程的丸子驿站时，竟然碰到了家康派来等候他的使者，让他在丸子地区稍稍休息一下。

"为什么？"

"小人不知。"

"但是……"

"新的指令到达之前，希望您先留在这里。"

"这……"

片桐且元惊疑不定。对这次的钟铭事件，大坂的丰臣秀赖和淀殿都是不知所措。关东方面所谓"不满意钟铭的内容"和"不懂礼仪章法"云云，显然是故意制造事端，但他们确实百口莫辩。这样一来，且元觉得只好先去道歉，除此再无办法。太阁死后，家康一直把片桐且元当成调解关东和大坂之间关系的人，给予厚待。方广寺的大佛就是家康经且元之口向秀赖和淀殿提议重塑的。

（大御所到底有何打算呢？）

且元犹自一头雾水。直到三天后，他才被准许踏进骏府。滞留驿站期间，骏府派出了一对简单武装的人马，将驿站团团包围。这太让人提心吊胆了。

骏府地区设有丰臣家的府邸。且元到达府邸，立刻求见家康，却被拒绝。但是，上野介本多正纯和以心（金地院）崇传充当家康的使者，来到了丰臣府邸。

正纯是有"家康密友"之誉的佐渡守本多正信的长子。本多正信年近八旬，留在江户辅佐将军秀忠，但他主要是担任幕后指挥的工作，罕再露面。其长子上野介正纯继承了他以前的职位，深受家康和秀忠的器重。正纯时年五十岁，容貌很像父亲，而且一样是身材瘦小。

正纯对片桐且元缓缓说道："就由我来听听您的话吧。"

他说话时目光锐利，让且元忍不住萌生退缩之意。

且元曾见到正纯之父正信几次。正信是个满面笑容，措辞和接人待物都很柔和的人，只要且元开口，他就会欣然附和道："的确如此。是呀，是呀……"侧身倾听且元的话。

反正，且元就是这样感觉的。他完全看不透本多正信脑袋里的想法。

（唉，真是讨厌……）

本多正纯的语调完全没有起伏，就犹如某种物件的响动。

且元对付不了正纯。他先是道歉谢罪和设法开脱，继而甚至开始哀求。但是，本多正纯根本不理会这些，只是认真听着。

以心崇传则闭着双眼，像是睡着了一样。

　　且元主动谈到了钟铭的内容，说道："不如将清韩长老喊来吧。只要您详细调查，我想所有的疑问都会消除。"

　　说完，他看了看崇传。以心崇传依旧闭着眼睛，只是把脸一转。

　　"好，我明白了。"本多正纯听且元说完，开始聊一些跟钟铭完全无关的事。

　　他首先解释他这次是以大御所使者的身份前来，所以才会有如此正式的措辞。然后，他指责道："看来秀赖大人确实有些不合常理的想法，但他毕竟是故太阁留下的孩子，我们让他继承了大坂城，而且给予了高达七十万石的封地……哪知他最近竟招揽了一大批浪人，甚至开始制造事端，真是举止不端呀！"

　　片桐且元目瞪口呆。这些年来，丰臣家的确新招了一大批人。就七十万石的封地来说，丰臣家确实缺乏家臣，尤其是关原之战以后，人数一度锐减，所以确实有增添新的家臣一事。但是，且元早就让板仓胜重将这些事报知家康了呀。

　　（这个时候，竟这样说……）

　　且元怒火中烧，唯有努力克制情绪。

　　虽说此前大御所家康对别人有种种臆测，但且元一直自信是家康深深信赖之人。眼前的情形是他绝对不曾预料到的。

　　当年的二条城会面之后，家康特意送给且元一把腰刀和一套应季的服装，而且恳切说道："希望您鼎力相助。"

　　且元甚是懊恼，但这总归是无济于事。

　　其实，片桐且元和本多正信、正纯之间有亲戚关系。且元收弟弟贞隆的女儿当了养女，嫁给正纯之弟本多忠纯。而且，且元的女儿是正信的养女。

片桐、本多两家的亲戚关系是德川家康积极促成的，所以前往骏府的片桐且元首先想到的可以依靠之人，便是本多正纯。他不喜欢正纯，却也从未流露出不快的情绪。就算这种关系只是一种政治策略，但"亲戚毕竟是亲戚"呀。

结果，本多正纯这番冷漠的态度让交谈无法继续下去。

且元曾自称一切都是他的责任，所以此际唯有继续道歉。

"希望宽恕我的思虑不周。"

两个使者不久便回去了。

离开时，金地院崇传一字一顿，朗然说道："此次钟铭一事，蓄意诅咒德川之心，昭然若揭。"

德川家的强势，给了他这样说话的资格。

事到如今，片桐且元只得寻思大御所是不是真要挑起战事。

几天后，带着清韩长老的解释信函的使者到达骏府，却被金地院崇传将信退了回来。

片桐且元无法就此离去。他坚持求见家康，但家康根本没有见他的打算。

第陆话

如果父亲昌幸活着，不用说，肯定会逃出九度山，和弟弟幸村投向西军，上阵杀敌。然而父亲死后，弟弟又会怎样做呢？

铃木右近的报告陆续从京都送到沼田。

"到底是弄成了这样啊……"

伊豆守真田信之的神情黯淡。年逾古稀的德川家康自然想在有生之年把丰臣秀赖摆平，从而确保德川幕府的地位稳固。这一点他当然明白，却总觉得这次的钟铭事件不大像是大御所的行事风格。

他做得委实太露骨了，如此不顾一切，彻底暴露出他的欲望。家康肯定明白他所做的事。明明知道，却坚持这样蛮横下去，肯定是自知没几年活了。

信之看得出来，家康早就有了被世人指摘的觉悟。

他没有让妻子小松殿看右近送来的密函。小松殿的父亲是故去的本多忠胜，忠胜是德川家的老臣，和本多正信父子虽然同姓，却不是亲戚关系。然而，小松殿毕竟是以家康养女的身份嫁给真田信之的。

因之，这对夫妻之间总不免有所忌讳。

小松殿像往常一样服侍信之，对钟铭事件只字不提。

（话说回来，事情不一定就不会顺利解决。）

信之仍抱着一丝希望。

德川家康诚然要解决丰臣家的问题，但他总不会不管三七二十一去讨平对方吧？片桐且元火速从京都前去骏府，就是要向家康谢罪、解释。

这样一来，家康就会有相应的答复——肯定会提出相应的条件。信之相信其中一定会有"只要丰臣家臣服便不会开战"这种条件。

那么，条件会是怎样的呢？具体的内容又如何呢？

信之站在大御所的立场上反复考虑。结果如下——

首先，丰臣家要搬去别的地方。

信之猜测这是家康早就形成的想法，但这次肯定不会只提出一个条件就善罢甘休。家康肯定会要求将秀赖的生母淀殿送到江户当人质，以此表示对掌握天下政权的家康的忠诚。从家康的角度看来，这是理所当然之事。

德川家康臣服织田信长和丰臣秀吉时，曾吃过同样的苦头。

秀吉夺取天下之后，有没有将旧主信长的子孙保护到底，让他们来掌控天下？

——没有。

秀吉的天下是强夺来的。而且，他为了和家康结盟、让家康臣服，不惜将生母大政所送到家康那里充当人质。

家康一旦想到这些旧事，自然就会觉得该将淀殿留在江户做关东的人质才是。

倘若丰臣家接受这两个条件，就不会开战了吧。

假如丰臣家不同意，而家康决意开战的话，那些一直等着这一天的关原之战的败将、那些艰辛度日的浪人，一定都会拥进大坂。

如果父亲昌幸活着，不用说，肯定会逃出九度山，和弟弟幸村投向西军，上阵杀敌。然而父亲死后，弟弟又会怎样做呢？

伊豆守信之苦恼的就是这个。

（恐怕他还是会去大坂城的。）

无论如何盘算，这都是唯一的答案。但是，丰臣家没准会接受家康的条件，那样就不会开战了，而且幸村反倒会有被赦免的希望。

——真希望如此呀。

希望确实是有，但很难实现。

淀殿不大会接受家康的要求。

按照目前获得的情报来看，别说淀殿，就算是秀赖和淀殿所看重的大野治长，都不一定会赞同家康开出的条件。就是说，治长不太可能去说服秀赖母子，从而导致大坂一方又像以前家康几次邀秀赖上洛时那般吞吞吐吐，含糊其辞。

一旦大坂方面不同意家康的要求，家康便会认准他们对关东方面怀有叛意，继而率大军围困住大坂城。到了那个时候，丰臣家该如何是好呢？

如果到那时再屈服的话，丰臣家的境况只会比现下再恶劣几倍。

（到了那时，右府大人大概会利用大坂城来迎战吧。）

信之寻思着。

话说回来，片桐且元此时该采取怎样的对策呢？信之对且元没有特别深的印象。此人对关东自然是很忠诚的，这不一定是坏事，然则对秀赖母子和丰臣家又如何呢？不用说，同样是绝对忠诚。

　　且元对两方都很忠诚，所以他才会期盼双方的和睦融洽。然而，有些问题根本就无法解决，而且他确实没有解决任何问题的策略。片桐且元就是这样一个人。

　　看到且元最近对关东事事谨慎、战战兢兢，想方设法让大御所高兴，秀赖母子难免快快不乐。这两人的态度大大出乎了且元的预料，使得他暗暗叹息。

　　总之，秀赖母子听不进片桐且元的劝说了，但这对母子倒不是不怕关东。淀殿得知德川家康发怒之后，成天提心吊胆。

　　某个傍晚，樋口角兵卫突然摇摇晃晃来到了九度山。

第柒话

樋口角兵卫离开九度山时，真田昌幸犹未辞世，这里尚住有长门守池田纲重和十几名家臣。昌幸死后，这些人都去了沼田。

九度山的府邸中，除了四十八岁的左卫门佐真田幸村，就只剩幸村之妻於利世（四十岁）、长子大助和两个女儿——阿梅、栗子。

大助十三岁了，身材比矮小的父亲幸村要高一些。故去的真田昌幸特别喜欢这个孙子，经常念叨这孩子"太像我父亲"了——昌幸之父真田幸隆身高六尺有余，高大魁梧。这位祖父非常疼爱幸村，总是用"小猴子"笑称矮小的幸村。祖父逝世时，幸村只有八岁。

大助的姐姐阿梅十六岁，妹妹栗子十二岁。

坚持留下来服侍幸村的是以下五名家臣：青柳清庵（千弥）、高梨内纪、青木半左卫门、三井半前、鸟羽喜兵卫；另有两名小厮、三名侍女。共计十人。

幸村曾让青木、三井和鸟羽去投奔沼田，结果这三人成天惦念着九度山的事情，茶饭不思，竟又恳求信之准许他们回来。信之就此征询幕府的意见，得到了"没有关系"的答复。现下，幕府对九度山基本上是睁一只眼闭一只眼了。

德川家康和幕府怕的只是真田昌幸的韬略和真田家的强大兵力。昌幸死了，幸村周围的侍者算上小厮和侍女都不足十人，就算让这三名家臣回去，想来亦不会出现新的事端。

德川军攻打上田时曾领教真田幸村的军事才华，但幸村毕竟没有现身关原的战阵。所以，跟武田家尚未灭亡时就表现出非凡谋略和军事水准的父亲昌幸相比，幕府对幸村的印象确实不深。小松殿之弟本多忠政曾捎话给姐夫信之，让信之再忍一忍，指的就是此事。

真田昌幸死后，幕府对九度山的警惕明显松懈。负责监视九度山真田父子的纪州浅野家甚至都不再派来巡视的人了。

浅野家本来就对真田父子持有好感，总是给他们行个方便。然而，长政、幸长父子死后，家业由幸长之弟但马守长晟继承，此人完全不注意九度山的状况。

最近，附近的百姓经常进出九度山的真田府邸，而且会带来些蔬菜、大米。这不仅是出自对真田幸村的同情。幸村刚到此地时，经常主动对大家说"来我这里喝酒吧"、"帮我看守一下家中的土地吧"之类的话，所以很快就受到了百姓们的欢迎。

最先将樋口角兵卫回到九度山一事通知幸村的，就是一个名唤"岩藏"的百姓。

"就是府上以前那个大眼睛的独眼男，我在雨森附近看到他了。"

角兵卫没有很快就现身。他走进真田府邸时，天色都很晚了。真田府邸有门，却几乎不曾关上。看到摇摇晃晃走进来的樋口角兵卫，小厮们都惊呆了。

"啊……角兵卫大人！"

"嗯。"

乱七八糟的胡须中，角兵卫那白白的牙齿清晰可见。

一个侍女刚好走到厨房门口，一看见角兵卫，登时失声惊呼，冲进厨房关上了门。

角兵卫冷笑着吩咐小厮道："喂，给我打洗脚水来！"

"是，是。"

角兵卫去井边洗脚时，从侍女口中得知情况的青柳清庵来了。

"怎么办？"清庵问道。

真田幸村道："把他带到这里来。"

"不会出事吧？"

"那你说怎么办？"

幸村的话音里充满了对角兵卫的厌弃。

"好的。"

"哎，慢着！"

"啊？"

"把他带到庭院去。"

"是。"

不一会儿，樋口角兵卫穿着小厮的稻草履走向庭院。

幸村住进了亡父昌幸的房间，於利世则住进以前山手殿的房内。

但是，幸村的卧室没变。那里的地板下面有个暗道。

长子大助搬到了池田纲重以前住的地方。

向井佐助在九度山时，就住在大助旁边的房内。

角兵卫缓缓来到庭院前方，跪了下来。

幸村劈头问道："怎么又回来了？"

角兵卫望着地面，说道："求求您宽恕我吧！"

"你都去哪里了？"

"求求您宽恕我吧！"

角兵卫垂首伏地，只是重复着这一句话。

幸村沉默不语。纵然是幸村，都搞不懂角兵卫这家伙。这个人的脑袋好像哪里不大正常，所以大家都拿他没辙。倘若一直不正常倒好办，但他时而听话，时而又狡猾奸诈；有时会随口撒谎，有时却又非常诚实。而且，一旦他冲动暴戾，那就谁都没办法了。倘若角兵卫手持长矛、大刀的话，幸村恐怕不是他的对手。

"没去沼田吧？"

须臾，幸村特意问道。

幸村话音刚落，角兵卫便拼命摇头，说道："只有九度山才是我的栖身之所。"

"噢……"

"我为何要去沼田啊？"

角兵卫坦然说道。

他去了沼田又离开的事，信之尚未告诉九度山的弟弟。虽未告诉，但只要给九度山来信时谈到此事，角兵卫的谎言自然立刻揭穿。他难道就不怕这个？

"角兵卫。"

"是。"

"你知不知道父亲大人去世的消息？"

"知道。"

“听谁说的？”

“京、坂两地无人不知，无人不晓。”

“那你一直没离开京坂一带喽？”

“是的。”

“你具体去了哪里？京都？”

角兵卫突然不说话了。

幸村盯着角兵卫，说道：“你回来又有何用，不如拿着我的信去沼田的哥哥那里吧。他没准会给你一个安身的地方的。”

“求求您宽恕我吧！求求您，一定要宽恕我啊！”

又是这句“求求您宽恕我吧”……

樋口角兵卫穿着灰色的窄口便服。说是便服，其实更像破布。离开小野阿通府邸时的角兵卫，可不是眼前这副邋遢样子。

真田草者阿江亲眼所见，角兵卫当时穿得干净利落，而且穿着和服裤裙。几天不见，裤裙竟然没了，落魄得宛如一个乞丐。

第捌话

角兵卫的反复无常，幸村都领教了好几次了，然而看到他陪着小厮们汗流浃背倒真是头一回。

真田幸村从阿江那里听到"角兵卫公子去了京都小野阿通府邸"的消息了。

这件事，幸村没再告诉任何人。

那个和角兵卫一同离开阿通府邸的武士，竟然进了京都的真田府邸。幸村搞不清楚其中的情况。

（这家伙委实形迹可疑……）

他凝视着角兵卫，却又无法盘问那件事情。

只好先观察一下角兵卫的情况再说了。

——阿角这家伙，说不定早就去了沼田的哥哥那里呢。

幸村没道理不这样想。

（小野阿通到底是个怎样的人呢？）

幸村寻思片刻，突然起身狠狠关上了外廊的门，甚至都没说一句"随你便吧"就把角兵卫独自丢在了庭院中。

樋口角兵卫垂首伏地，脸上浮现出一丝令人毛骨悚然的笑意。

他根本不知道阿江瞧见了他去京都时的事情。

不久，角兵卫径直回了他以前的房间。他就这样回到了九度山。

幸村的家臣们对此都很不满，但幸村毕竟是默许了，所以大家都没办法。

需要指出的是，幸村对此事真不是欣然默许。

（真不知道他会干些什么……）

留下角兵卫只会惹来麻烦。幸村就是懂得这一点，才唯有默许。倘若放任自流，让角兵卫去了他看不到的地方，真不知这家伙会怎样行事。就算是杀个人，这家伙都不当回事。

幸村和信之最怕的就是这个半疯癫的"神秘男子"给大家惹事。

亡父昌幸曾偷偷向信之和幸村承认角兵卫是他和久野的孩子，甚至觉得留下此子恐怕对真田家不利，不如悄悄杀了算了。当时的信之和幸村完全没把父亲的话当回事。直到这时，他们看着眼前的樋口角兵卫，才察觉父亲的忧虑竟然变成了现实。

倘若幸村有意除掉角兵卫的话，那确实不难，只要派阿江去暗杀就行了。角兵卫诚然力大无比，却不足以当真田草者的对手。幸村一度萌生了这样的念头，但毕竟不忍下手。无论如何，角兵卫的身上流着他父亲的血。

战国时期的大名、武将一旦顾虑到家族利益，就算是父子兄弟都会下手诛杀。这是很正常的。然而，信之和幸村都不是那种性格。

重回九度山真田府邸的角兵卫，用於利世夫人的话说，简直像换了个人。

他开始默默工作，哪怕是小厮们的活儿，他都会抢着去做。饲养马匹、打扫庭院、汲水砍柴……他几乎不说话，只是埋头干活。

"这样的话，就不用再忧虑了吧。"於利世对丈夫幸村说道。

"嗯，但是这家伙没准哪天就又变了。"

"他真会那样？"

"会的。"

角兵卫的反复无常，幸村都领教了好几次了，然而看到他陪着小厮们汗流浃背倒真是头一回。大概是他懂得了逃亡的日子不大舒服，所以才拼命干活讨幸村的高兴吧。

那天早晨，碰到青柳清庵、高梨内纪等家臣时，角兵卫竟然主动打了招呼。

"总觉得不对劲儿。"

"确实……"

"话说回来，让角兵卫大人砍柴，这不大好吧？"

"完全变了个样儿呢。"

"这家伙离开后漂泊各地，肯定吃了些苦头。"

"是呀……"

家臣们议论纷纷。

某个夜里，纪见峠忍者小屋的曾根十藏偷偷来到幸村卧室的地板下方，替阿江送上密函。信中，阿江汇报了想把女忍者阿忆调至下久我一事。

幸村收下之后，又将早就拟好的给阿江的密函交给十藏。

密函中，他讲了角兵卫重回九度山一事，称："我打算佯装不知，观察他一段时间再说，所以想让佐助来这里住一段时间。"

第二天，幸村把事情悉数告诉了向井佐助，吩咐他暗中监视角兵卫。

第玖话

片桐且元滞留骏府，没送回任何消息，搞得丰臣秀赖和淀殿日益焦虑。

以后，我想把秀赖生母"淀殿"这一称谓变回她昔日的昵称——淀君。

淀君是织田信长之妹阿市和近江小谷城主浅井长政的长女。长政被淀君的舅舅信长击破之后，阿市带着孩子嫁给了柴田胜家，哪知胜家不久便被丰臣秀吉打败，逃回越前的北庄城切腹自杀。当时，阿市陪着丈夫胜家一同死去。

当时使用"茶茶"之名的淀君和两个妹妹都被秀吉收留，继而抚养长大。后来，茶茶当了秀吉的侧室。一众侧室之中，秀吉最宠爱的就是茶茶。他甚至把山城地区的淀城赠给了她，这无疑是一个非常好的证明。

茶茶虽是女人，却是一城之主。正因她是淀城之主，才会有"淀殿"、"淀君"之称。

淀君给秀吉生下了最重要的继承人，而且她有着舅舅信长的血统，再加上父亲浅井长政的显赫名望，自然派头十足。纵是丰臣秀吉都唯有对她百般宠爱，非常体贴。

"我的舅舅是信长"这种自豪感，淀君片刻不曾丧失。

家康、秀吉都只是这个舅舅手下的小兵罢了。倘若舅舅活着，哪有秀吉、家康的事？他们撑死只会是织田家天下中的一介藩主。

这种想法一直伴随着淀君，直到三年之前。

三年前，经由加藤清正和浅野幸长的努力，秀赖得以上洛跟德川家康会面。从那以后，淀君似乎变了，不再像以前那样公然表露对关东的厌恶之意了。面对这次的钟铭事件时，她更是觉得要设法消解骏河大人的怒火才好。

是年，淀君四十八岁——她的生辰众说纷纭，我们姑且说是四十八岁。

片桐且元一直不回，坐立不安的淀君、秀赖和众家臣商议一番，决定派几个女特使去骏府看看。其中之一是大藏卿局，她是服侍淀君的侍女头领，而且是重臣大野治长之母；另一个则是秀赖幼时的乳母正荣尼。

一行人动身去了骏府。

正荣尼之子内藏助渡边纠是丰臣秀赖的家臣。听说此人擅用长枪，是秀赖的枪术教师。

大藏卿局到达骏府时，片桐且元犹自滞留丰臣家的府邸里面。

"这……"大藏卿局甚是不满，"东市正大人竟然……"

这个女人一直不满东市正片桐且元的优柔寡断，觉得这个人无论何事都只顾虑关东方面的感受。从她的角度看来，且元面对关东方面之时，根本不曾坚持丰臣家的立场。淀君对此亦有同感。太阁秀吉死后，正是德川家康一再推动，丰臣家才会让片桐且元负责协调东西关系。

且元固然是全力以赴向丰臣家效力，外界却只觉得他是关东养的一条狗……

大藏卿局故意不去丰臣府邸和且元碰面，而是去了儿子大野治纯那里。这样看来，大藏卿局首先想到的自然便是大野治纯。治纯对这件事同样非常着急。接到前来骏府的母亲之后，他决定无论如何都要让母亲见到大御所家康。

他当然明白这十有八九会被拒绝。片桐且元和家康的宠臣本多正纯有亲戚关系，但就算是且元的求见，家康都拒绝了。所以，大野治纯做了各种安排之后才提出谒见，不料家康竟随口答道："好呀。"

大野治纯又惊又喜，立刻将此事告诉了母亲——大藏卿局。

"这，这是真的？"

事情顺利得难以置信，大藏卿局吃惊之余，不免暗想那个东市正大人之前到底忙了些什么啊……登时有了几分得意。

家康一见她们进城，便道："这一路阴雨连绵，怕是很辛苦吧？"笑着问候了她们一行。

家康的脸上全然不见愠色，这确实出人预料。

大藏卿局和正荣尼都甚讶异，却到底松了口气。

（片桐且元到底去干什么了？莫非他害怕家康动怒，一直没敢求见？）

两人开始暗自嘀咕。

第拾话

真田信之觉得丰臣家现下最好的选择便是搬出大坂。但是，被逼得走投无路的丰臣家会不会就此低头？

"这次的钟铭……"

大藏卿局话刚出口，德川家康便笑着打断了她。

"会有这种事情，以我之见，肯定是右府大人和淀殿身边有些不轨之人，招纳了太多浪人所致。"

他好像是故意不给大藏卿局说话的机会，但听来又无责难之意。家康的微笑是那样亲切。从那微笑看来，他对孙女婿丰臣秀赖全无恨意。而且，将军秀忠的妻子是淀君的亲妹妹。关东和丰臣家之间的关系，当真深厚着呢。

家康又道："大坂只要谨慎行事，别出现有悖常理的举动，那就没关系了。"

"我们一定按您说的去办。"

"那就好，那就好喽。"

大藏卿局和正荣尼几疑是梦。家康没再提钟铭之事，而是问了一下秀赖和淀君的近况。这跟片桐且元说的情况半点都不一样。

结果，大家都推测那是且元想要从中搬弄是非。

——那个东市正大人啊，搞不好会向关东报告一些子虚乌有之事，想把事态再闹大吧。

人们纷纷有了这样的想法。

不管怎样，这趟骏府之行是值得的。大藏卿局就此放下心来。且元曾向大坂报称家康怒不可遏。但家康若真动怒，哪里会说出如此亲切的话？

大藏卿局出了骏府城，回到大野治纯家中。片桐且元派人前来，称想要和她谈谈。

——根本不肯见他的德川家康，何以竟会见女使者呢？

且元思来想去，更加惶恐不安。

大藏卿局懒得跟且元碰面，只是把家康的话告诉了他。

家康是这样说的："我要先派使者去江户问一下将军的想法，使者回到骏府之前，希望你们耐心等待。"

简直是无视且元。

片桐且元觉得这真是不可思议。大藏卿局是就钟铭事件来道歉的吧，家康对此有何答复？且元不知道。而且，他不懂家康为何会同意见这些女人。

大藏卿局对且元不满，且元亦不喜欢拿淀君当靠山的大藏卿局。

且元再次求见家康。家康的回复是，请等使者从江户归来。

这样的话，就只好干等着了。

家康派向江户的使者不是别人，而是本多正纯。正纯从江户回来之后，立刻把将军秀忠的意思告诉了家康。

第二天，本多正纯和以心崇传联袂来到且元候命的府邸，说道：

"钟铭事件暂且不说了，不管怎样，当前最重要的是世间的评论。"

"世间的评论？"

是指大坂招纳了一大批浪人，导致社会动荡不安之事吧。其实，大坂招纳的那些浪人尚不足以破坏社会稳定。但是家康都这样说了，且元自然不敢反驳。

所以，该怎么办才好呢？

"这样的话……"

本多正纯自然而然讲出了条件。这条件说是德川家康的意思，其实却是江户幕府的意思。他说大坂方面只要接受以下三个条件之一就行了：

（一）丰臣秀赖要像别的大名那样去江户谒见将军。规定的时间之内，他不可擅自离去。要听从幕府将军的命令。

（二）把淀君送到江户当人质。

（三）丰臣家搬去别的地方，把大坂城交给幕府管理。

这几个条件全被真田信之猜中了。

丰臣家肯定无法同意前两个条件。

真田信之觉得丰臣家现下最好的选择便是搬出大坂。但是，被逼得走投无路的丰臣家会不会就此低头？

信之默默祈祷丰臣家一定要接受对方的条件。

漫长的战争刚刚结束了十余年，各地的大名都在努力建设封地。倘若东西方再度兴兵，又要浪费大量的战争经费，使许多人白白丢掉性命。

为何说是浪费呢？只因大坂方面根本没有胜算。

而且，战争制造的悲剧会给所有人的心灵带来长期伤害。

信之若是丰臣秀赖，便会接受幕府的条件，退出大坂城，搬到别的地方。

三年前秀赖上洛之后，丰臣家就该告别昔日的一切荣光了。而且，他们主动兴建了江户府邸，所以丰臣秀赖肯定是要定期来拜谒将军了。

这只是真田信之的想法，家康到底会不会按照他想的那样做，尚难断言。

片桐且元同样希望丰臣家搬离大坂，除此再无别的办法。

无论如何都要说服秀赖和淀君。否则，开战就不可避免了。

本多正纯和以心崇传离去不久，就传来了"登城"的命令。且元急忙去了骏府城，却没见到家康。

提前回到骏府城的本多正纯转达了家康的话："此次真是辛苦你了。"然后便赐予且元腰刀一把和应季服装等物。

是该高兴呢？还是该为马上降临的难关悲伤呢？且元苦不堪言，心情越发沉重了。

次日清晨，大藏卿局一行人离开骏府，踏上了回大坂的路。片桐且元忙着去向大家告别，直到第三天上午才离开骏府。

且元来到铃鹿峠时，追上了大藏卿局一行人。双方无意交流，却要结伴回大坂报告骏府的情况。双方去骏府时没有任何联络，这肯定不行。所以，到了近江的土山附近，大藏卿局和正荣尼便去拜访了片桐且元。

她们着实想不到关东方面会提出如此苛刻的条件。从家康当时的态度来看，这完全无法理解。因此，大藏卿局更怀疑且元了。

这正是德川家康想看到的。

第拾壹话

大藏卿局无法再相信片桐且元了。

德川家康立刻接受了她和正荣尼的求见。相比之下，这个且元滞留骏府数日，竟然一次都没见到家康……

而且，关东方面提出的三大条件，没一个是家康亲口说的。

"是本多正纯说的。"且元如实相告。

这难免让大藏卿局和正荣尼的目光中充满疑惑。

谁都知道片桐且元和本多正信、正纯父子有亲戚关系。

"难道东市正大人勾结本多父子，背弃了丰臣家？德川家康不会不知此事。我们一定要早点报知右府大人和淀殿才行，以免被东市正抢先下手。"

深夜，大藏卿局一行悄悄离开土山，抓紧返回大坂。从土山到京都大概有十五里路，从那里再到伏见，乘船横渡淀川……

翌日傍晚，大藏卿局神速回到大坂城内，立刻去见早就坐立不安的淀君，将诸事汇报一番。

淀君的神情峻冷而又骇人。四十八岁的淀君身上，全然没了当年深受太阁宠溺时的影子。

年轻时的淀君，虽然比不上美貌无双的母亲阿市，却无疑称得上是一位可爱、圆润的美女。

然而，年轻时的圆润渐渐衰老干枯。淀君的体态丰满如故，却早告松弛，又兼太阁死后操劳过度，身体状况确实不佳。她脸色铁青，面容浮肿，而且经常头痛，喉咙异常干渴，夜里更是常常失眠。

淀君听完大藏卿局的汇报，认定这都是且元暗中搞鬼。

而且，德川家康特意对大藏卿局说道："再这样下去，只会众说纷纭，谣言漫天。希望大坂方面理解我们。"

"听着大御所那亲切、愉快的谈话，真难以想象他会提出'交出大坂城'、'搬去别的地方'、'将淀君送到江户当人质'这等苛刻条件。"

大藏卿局话音未落，淀君便愤怒了。她愤怒的对象不是家康，而是且元。她甚至觉得早前的"钟铭事件"都是且元信口雌黄。

"太可恨了！"

淀君恼得浑身颤抖，立刻召集秀赖和大野治长兄弟等心腹家臣密议此事。

大野治长断然说道："就算关东方面真有这种要求，东市正大人为何会照单全收呢？别说交出大坂城，就是让右府大人和您去关东，都是给故太阁大人的脸上抹灰！"

大野兄弟和丰臣家那些直臣的资质姑且不论，他们对秀赖和淀君的忠诚却委实炽烈。

眼下，就算是那些受到德川家恩典的大名，都开始支持对关东方面敬而远之的丰臣家，这足以证明大野兄弟他们的忠诚可靠。

　　治长早就察觉了家康的邪念，故而一直联系着关原之战以后变成浪人的武将。比如那个长宗我部盛亲，半月前就偷偷去了大坂城内的大野府邸。

　　丰臣秀赖凝神听着母亲淀君和大藏卿局、大野治长等人说话，直到要下决定之际，方才开口说道："跟大坂城共存亡！"

　　和三年前去二条城跟德川家康会面时相比，秀赖有了惊人的变化。六尺有余的身高和端庄清秀的容貌虽然如故，却明显胖了。深居城内，丰衣足食，美女环绕……变成这样自然是没办法的事。但是，他胖得甚至无法骑马，穿上盔甲后更是动都无法一动。

　　德川家康年逾七十，数九寒天却不用穿袜子，就那样赤着满是皲裂的脚，穿行城中走廊……

　　秀赖和家康，简直没办法比。

　　丰臣秀吉要的是贵族生活。不是武将、大名这种一般朝臣的生活，而是朝廷中位高权重之人的生活。而且，他才不是京都那些手头拮据的朝廷重臣呢——他富可敌国。

　　秀赖的性格中，继承了君临天下的父亲秀吉的荣誉感。

　　秀赖的夫人千姬没出席这次秘密会议，但夫妻二人的感情一向很好。

　　这一年，丰臣秀赖二十二岁了。

　　是夜，片桐且元抵达了京都的府邸，明知道次日该回大坂城禀报工作，但那一天似乎不利出行，故决定后天再进城复命。

　　东市正片桐且元无论碰到何事，都会这样对付。

第拾贰话

恰恰是这天夜里，中原丈助又去京都高台寺见了暂充仆人的真田草者小助。

丈助像往常一样，悄然打开不上锁的门，走进土间。

"丈助大人？"

小助从梯子上方探出头来。储藏间有个阁楼，小助就睡那里。

"好久不见了，小助。"

小助欣然说道："是呀，快上来吧。"

中原丈助最近不大来了。真田草者近来都挺忙的。当然，更重要的是，阿江觉得以后很难再从高台院这里获得情报了。

确实没人来拜访闭门谢客的高台院了。高台院成天静坐佛堂，庭院都不去。这几天里，小助甚至都没看见她。

"小助，近来有没有特别的事？"

"没……"

"那好，来，喝点吧？"

丈助把装着酒的竹水壶递给小助。每次偷偷来这里时，他都会带上这份礼物。

"真是不好意思。"

嗜酒的小助登时笑容满面。来到高台院之后，他真是滴酒不沾。仆人本来就没机会碰酒，就算见到了，都喝不上。

他只一口，便喝了壶中三分之一的酒。

"丈助，现下的形势到底怎样啊？"

丈助微一苦笑，说道："不容乐观……"

"果真如此呀，来了这里之后，各种事情都不知道了。"

"那倒是。"

"真不知要待到哪天才行。"

"就这个晚上。"

"啊？"小助丢下水壶，追问道，"真的？"

"喂，酒洒了啊！"

"哎……"

"这是阿江说的，明天回下久我。"

"太好了！太好了！"

小助欢喜得双手合十，跪谢丈助。

"好了，小助！"

"阿江小姐真没忘了我这个老东西呀。"

"小助，别说'老东西'这种话，回到下久我之后，会非常忙的。"

小助都年逾六旬了。

看守下久我忍宿的权左现年九十，兀自精神矍铄。然而，八十六岁的五濑之太郎次的体力似乎大不如前。跟去京都当印章师看守忍宿时比，简直是瘦了一两圈。目前，五濑之太郎次去了夜泣岭的忍者小屋。

数日前，真田草者们接到真田幸村之命，奔赴四面八方。阿江自然离开了下久我。

幸村接到阿江的情报，推测东西双方很快就会决裂。他觉得丰臣家就算接受了关东方面的苛刻条件，家康亦不会就此收手。

这和其兄信之对家康的看法截然不同。

幸村对家康的看法，是直接承袭父亲昌幸而来。

很难说真田兄弟对家康的认识谁对谁错。

何出此言？

只因丰臣秀赖到底是拒绝了关东的要求！

家康当然知道了这个最新情况，他肯定就盼着事情变成这样呢。

幸村决定召集分布各地的父亲旧臣，但不是召集到九度山。

——将他们召集到那些可以第一时间现身大坂城的地方。

这是真田草者的建议。

非常时刻，幸村会直接逃离九度山。

数日前，大野治长的密使只身来到了九度山的真田府邸，恳求幸村待东西决裂之后出手相助。投靠丰臣家，是不会让幸村蒙羞的。

大藏卿局一行人去骏府时，大野治长就料到将会开战。只要家康想看到战争，丰臣家就无法躲避战火。而且，治长成天跟着秀赖和淀君，根本不信这对母子会老老实实接受关东方面的条件。

结果，真的就是这样。

大野治长早就料到这一天会来临，却真不希望这一天来到。

“我们不是束手无策。”

几年来，他一直和长宗我部盛亲这些跟丰臣家渊源深厚的浪人保持联系，从未懈怠，却从未联系关原之战的罪人——被流放九度山的真田父子。

真田昌幸死后，治长之弟治房曾劝哥哥联系一下九度山。

治长却道："不用吧。"

"但是……"

"非常时刻，只要我去恳求，左卫门佐大人会伸手帮我们的。"

大野治长对此很有把握。治长没有行军打仗的经验，而且根本就没有这种素质，但是他脑袋好使。然而，有点太好使了，简直跟当年的石田三成如出一辙。

真田幸村只是对治长的密使说道："知道了。"第二天就派向井佐助去下久我指示阿江行动。

关东方面完全不知道幸村和草者们的举动。但是，大野治长这几年来一直都是这个样子，所以家康猜到了十之八九。尤其是去年秋天，丰臣家竟开始招纳一些身份低微的浪人，此事人人皆知。

家康曾特意对大藏卿局说道："大坂方面的行事真该谨慎啊，别出现有悖常理的举动。"指的就是这件事。

治长是大藏卿局之子，所以家康没有点名。但大藏卿局肯定明白。虽然明白，却觉得家康之所以有些不满，完全是片桐且元闹的。

女人的直觉就是这样，只遵循自身需求。所以，猜中就罢，猜不中的话，便只好将错就错。

"小助，明天天黑之前，要回到下久我啊。"

"那我不如这就跟你走吧？"

"阿江让你早晨走，就照命令行事吧。"